한민족의 소리를 만나다

한민족의 소리를 만나다

글·사진 윤행석

심미안

전통문화를 기록하는 또 하나의 영혼

 나이 오십이 넘고 흰머리가 늘어가다 보니, 일 년에 한두 번 만나는 친구들은 열이면 아홉이 내게 이런 질문을 한다. "아직도 민요 찾으러 시골 다니나? 이젠 후배들한테 넘겨줘야 하는 거 아닌가?" 내 대답은 늘 이렇다. "민요는 이제 찾기 어렵고, 어르신들 말씀이나 들으러 다니고 있다. 후배들은 전혀 없고…" 우리의 소리를 찾아다니는 일이 '지는 해의 꼬리를 잡는 격'이라는 말을 한 지도 벌써 20년이 넘었다. 내 말이 맞았다면 이미 해가 져버린 지 오래이고, 이런 일은 벌써 끝이 났어야 했다. 그동안 방송사의 동료나 후배 중에 이런 일을 하려는 사람이 없었던 것도 나와 비슷한 예측을 했기 때문이었을 것이다.

 하지만 언제든 예외가 있는 법이다. 이 책의 저자 윤행석 PD의 눈에는 우리 소리를 찾는 일이 아직 끝나지 않은 일이었던 것이다. 단지 소리가 아니라 영상까지 잡아내야 하는 TV PD의 처지에서 '저문 밭에서 이삭 주워내듯' 해야 하는 일이 얼마나 외롭고 고단했을지 짐작이 가고 남는다. 전통문화가 비교적 많이 남아 있는 그의 터전이 그나마 비빌 언덕이 되었을 터이지만, 오늘날 한국의 TV방송에서 소리를 주제로 한 프로그램이 지속적으로 방송될 수 있었던 것은 오로지 저자의 사명감과 정성과 내공 덕이라고 생각한다.

 짧은 프로그램에서 보여주지 못한 이야기들을 글로 풀어 책으로 엮어내는 일은 어쩌면 다큐멘터리 성격의 프로그램을 만드는 PD들에게는 필수적인 일이 아닐까 싶다. 전파는 한번 날아가면 그만이고 책은 오래도록 남는다는 점에서도 방송PD들이 책을 쓰는 일은 꽤나 바람직한 일이다. 하지만 글쓰기가 누구나 할 수 있는 일은 아니다. 늘 책을 읽고 틈나는 대로 글을 써버릇 해야 가능한 일이고, 무엇보다 글이 되어 나올 만큼 많이 느끼고 깊이 생각해야 가능한 일이다. 저자의 글이 흔한 기행문이나 감상문들과 달리 글다운 글로 읽히는 것도, 글 속에서 저자의 감성과 생각의 깊이가 느껴지기 때문일 것이다.

앞선 사람들의 행적을 답습하지 않고 나름의 영역을 개척해나가는 모습도 보기 좋다. 이 방면에 종사하는 사람들 중에는 욕심에 겨워 남 흉내내기에 급급한 사람들도 있다. 우리 전통문화의 현실을 살펴보면 아직도 발굴되고 기록되어야 할 것들이 많이 남아 있고, 분업 또는 협업을 통해 남들이 미처 하지 못한 일들을 해내고 그 성과를 서로 공유하는 것이 바람직하다. 그런 점에서 저자가 카메라를 메고 민요뿐 아니라 풍물이나 굿을 하는 소리꾼들까지 찾아나선 것은 잘한 일이다. 저자가 한 20년 전쯤, 내가 소리를 찾아다니기 시작한 그 무렵부터 함께 영상작업을 했더라면 얼마나 좋았을까 생각해본다.

저자의 작업은 아직 끝나지 않은 것으로 안다. 'HD 영상기록 한민족의 소리' 시리즈는 끝났을지라도, 영상을 만들어내는 방송PD로서 그동안의 경험과 지식을 살려 사라져가는 전통문화 전반에 걸쳐 할 일은 얼마든지 있을 것이다. 앞으로도 지치지 않고 PD의 생명인 창의력을 십분 발휘하여 우리 민족의 정체성을 바로 세우는 일에 즐겁게 매진하기를 기대한다.

내가 최근에 읽은 어떤 책에 따르면, 우리의 영혼은 모두 제각기 뚜렷한 목표를 갖고 태어난 것이며, 비슷한 목표를 가진 영혼들끼리 한 동아리가 되어 누대에 걸쳐 함께 활동하고 성장한다고 한다. 이것이 사실이라면, 윤행석 PD는 아마도 나를 포함해 이와 비슷한 일을 하는 사람들과 함께 '사라져가는 전통문화를 기록하는 영혼들의 동아리'에 속할 것임에 틀림없다.

2011년 봄

『우리의 소리를 찾아서』, 『백두대간 민속기행』 저자 최 상 일

새로운 남도의 봄을 맞으며

만 14년간 지역방송 PD노릇을 하다가 2년 남짓을 노동조합에서 보냈습니다. 2년간의 긴 항해를 마치고 원래 자리로 돌아가는 시점에 두 번째 책을 내놓습니다. 그동안 해야 할 일은 제대로 했나, 책다운 책을 내는 건가, 다시 쑥스럽고 부끄럽습니다.

이 책은 2008년~2009년 광주MBC 'HD 영상기록 한민족의 소리' 프로그램에서 만난 토속 소리꾼들의 생애와 토속소리에 대한 기록입니다. 프로그램 만들 때 짤막짤막하게 기록했던 것들을 틈틈이 고쳐 써서 책으로 내게 됐습니다. 전라도, 경상도, 강원도, 충청도, 경기도, 제주도, 연해주까지 다녔습니다. 풍물패 이끌고 온 마을을 휘어잡던 상쇠들도 있고, 전라도 씻김굿을 굿답게 할 줄 아는 마지막 세대의 무당들도 있고, 농촌 공동체 문화를 주름잡던 들노래 상여소리 선소리꾼들, 기막힌 시집살이를 한나절 노래로 토해낼 줄 아는 할머니들도 있습니다. 서산에 떨어지는 해처럼, 어쩌면 생의 끝자락에 아슬아슬하게 매달려 있는 분들. 모두들 1년쯤 기별 없이 지내면 '돌아가셨을지 모르겠다!' 번뜩 생각나는 고령자들입니다.

현장을 떠난 지 1~2년 지나서 짬짬이 기억을 더듬어 쓴 글이라 사람들 속내를 훈김나게 비추지 못한 느낌입니다. 하지만 그냥 곳간에서 푹푹 썩기엔 아까운 옛 시대의 민속, 생활풍습, 사진과 영상, 다양한 토속소리들이 아까워 책으로 내놓자는 욕심을 부렸습니다. 스마트폰 하나면 전 세계 지인들과 소통할 수 있는 첨단문명의 세상이지만, 우리네 마음속 세상은 외롭고 쓸쓸하고 따뜻함을 갈구합니다. 책 속에 나오는 할아버지 할머니들을 이런 짧은 기록으로나마 빛내드리고 싶었습니다.

관훈클럽 저술지원의 힘으로 여기까지 왔습니다. 곁에서 힘 돋워준 분들도 많았습니다. 존재 자체가 힘인 가족들(아내 김세라와 준영, 민서), 외로운 노년을 보내는 어머니와 형님 누님들, 2009년~2011년 함께 노동조합 활동을 했던 전국의 동지 분들, 부족한 저와 함께 2년을 뛰어준 광주MBC 노동조합 집행부 동료들, 목포 이순용 님 모두 큰 힘 되어주셨습니다. 작업을 격려해 주신 회사의 동료 선후배님들, 프로그램 만들 때 함께 애썼던 이선우 님, 이경섭 님, 김주호 님, 김인정 님, 임혜선 님, 지정남 님, 류소정 님, 제주 오영순 님, 촬영 스태프 동료 분들, 원고를 꼼꼼히 읽고 자막작업 힘써준 백금렬 님, 박보영 님 고맙습니다. 저세상에서 대견해 하실 것같은 아버지와 유재관 님도 떠오릅니다. 조악한 글묶음을 기꺼이 볼 만한 물건으로 빚어준 심미안 송광룡 대표와 그 식구들껜 민폐 끼치지 않나 모르겠습니다.

우리 사회가 극한 경쟁과 효율을 좇는 사회가 되어갑니다. 우후죽순으로 생겨나는 종편채널과 신규 미디어로 인해 방송 생태계는 시중에 넘쳐나는 음식점들만큼 숨가쁜 경쟁의 나날이 되겠지요. 그렇지 않아도 씨가 말라가는 시골 할머니 할아버지들의 옛 소리들인데, 앞으로 '한민족의 소리'를 영상으로 기록하는 일이 가능할까, 지역의 작은 것들을 조명하고 가치를 부여하는 작업이나마 힘차게 해나갈 수 있으려나, 그런 걱정이 없지 않습니다.

그렇다고 선택지가 많은 것도 아닙니다. 제가 태어나고 자란 전라도는 물론 영남 충청 경기 강원도, 연해주 연변 등지엔 아직 수많은 사연을 갖고 살아온 소리꾼들이 얼마간 생존하고 있을 것입니다. 미지의 그분들과도 만남이 계속되기를 희망해봅니다. 실현되지 않는 희망만 쌓여가는 시절에 하나 더 보태보는 희망사항에 그칠지 모르겠지만….

2011년 봄
지역방송 일꾼으로 다시 마음을 다잡으며, 윤 행 석

차 례

01 무당

02 여성

03 풍물·상쇠

01
무당

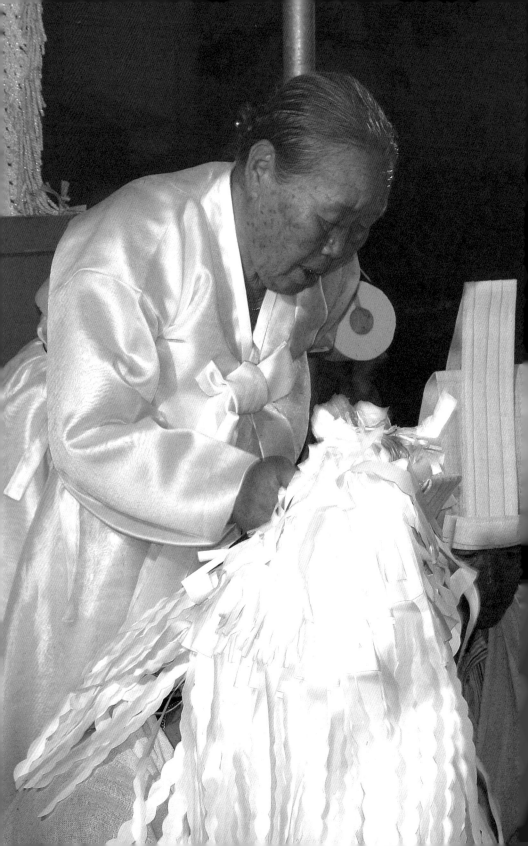

불쌍하신 금일망자 평등지옥 면하소사

채정례의 진도 씻김굿

옛날 세상에는 굿이 참 많았던가 봅니다. 누가 세상을 떠나면 당연히 굿을 했고, 누가 아파도 굿을 했고, 정월대보름에는 마을의 무탈과 풍년농사를 기원하며 굿을 했습니다. 많은 군중이 모인 이벤트까지도 '굿났다'고 하는 걸 보면 한민족에게 굿은 일상사였던 모양입니다. 뒤적이다 보니 우리 속담사전에도 굿과 관련된 내용이 많이 나옵니다. "굿이나 보고 떡이나 먹지" "굿 들은 무당평소에 소원하던 일이 이루어져서 몹시 즐거워하는 사람" "굿 뒤에 날장구 친다어떤 일이 다 지나간 다음에 쓸데없는 짓을 한다" "굿한다고 마음놓을까무슨 일이든지 정성만 들였다고 안심하고 있을 수는 없다" "굿하고 싶어도 맏며느리 춤추는 꼴 보기 싫어 못한다꼭 하고 싶은 일이 있기는 하지만 미워하는 사람이 따라나서는 꼴이 보기 싫어 하기를 꺼린다" "굿구경을 하려면 계면떡이 나오도록 하랬다굿이 끝난 뒤에 무당이 주는 계면떡을 먹을 수 있을 때까지 해야 하듯, 무슨 일을 하려면 끝까지 참아내야 이익도 생긴다"

굿의 사제司祭 무당에 대한 속담도 많습니다. "무당 남 빌어 굿한다제가 제일을 알아서 못하기 때문에 남의 도움을 받아서 일을 추진해야 한다" "무당서방처럼 남의 것만 바란다남의 것을 공짜로 얻기 좋아하는 것을 흉보는 말" "가까운 무당보다 먼 데 무당이 더 영험하다를 가까이 볼 수 있는 것은 신통치 않아 보이지만 자주 보지 못하는 먼 데 것은 훌륭하게 보인다" "무당이 제 굿 못하고 의원이 제 병은 못 고친다남의 일을 도와줄 수는 있지만 자기 일은 자기 스스로 못한다"

이 정도 속담을 대면 굿이 우리 민족의 생활사에서 중요한 한 대목을 차지했다는 걸 실감할 수 있습니다. 이랬던 굿이 '미신'과 동일시된 것은 일제강점기 때부터입니다. 한민족 고유의 정신을 짓눌러야 했던 일제의 집요한 탄압이 있었습니다. 해방 이후에도 굿은 아래로 아래로 깔렸습니다. 박정희정권 때 대대적으로 일어난 새마을운동이 결정타였습니다. 굿당이 헐려나갔고, 굿쟁이들은 미신을 전파하는 악성 바이러스 취급을 받았습니다. 그런 환경에서도 죽지 않은 것이 한국의 굿이었습니다.

왜였을까요. 바로 민중들의 삶과 밀착돼 있었기 때문입니다. 제도권에서는 억압받았지만 민중들은 굿을 신뢰했던 것이지요. 굿은 의례일 뿐만 아니라 일상문화였던 것입니다. 그래서 굿을 기예능으로 떼어놓고 볼 것이 아니라 굿문화로 봐야 한다고들 합니다. 굿문화에는 더불어 사는 삶이 옳다는 것, 현실세계의 강자보다는 힘없는 미물도 소중히 여기는 마음, 자연에 순응하는 정신이 깃들어 있습니다. 이 첨단과학의 시대에도 바닷일을 하는 사람들이 풍어제를 거르지 않는 것, 사면이 바다로 둘러싸인 제주도나 해안지역에서 굿이 성행하는 것이 뚜렷한 물증입니다.

굿은 종류가 엄청나게 많고, 지역마다 다릅니다. 즐겨 먹는 음식이나 즐겨 쓰는 방언이 지역마다 다른 원리와 같습니다. 제주도, 전라도, 경상도, 경기도마다 굿이 다릅니다. 지금은 뒤섞여 버렸지만 지역별로 세습무권世襲巫圈이 있었고 강신무권降神巫圈이 있었습니다. 뒤섞였다는 말보다는 굿의 명맥이 끊어지다시피 해서, 원형으로부터 많이 멀어졌다는 표현이 적절할 것 같습니다. 다른 민속처럼 생활의 한 영역이었지만 이제는 공연물화 되었다는 것이지요. 다른 민속과 다른 점이라면, 굿은 지금도 수요자가 있으면 생활현장에서 실제로 행해질 수 있는 민속이라는 점입니다.

대체로 한강 이북 지역은 강신무권이었고, 한강 이남 지역이 세습무권이었습니다. 강신무의 굿은 스펙터클한 쇼에 가깝습니다. 신내림에 의해 내림굿을 받은 무당이 굿을 주재하지요. 칼을 입에 문 무당이 벌떡벌떡 뛰면서 돼지고기에 삼지창을 꽂는 모습을 보면 섬뜩한 느낌마저 듭니다. 서울·경기도에서는 굿을 그렇게 하기 때문에 그 지역 사람들은 그 굿에 익숙합니다. 세습무권의 굿은 소리판입니다. 당골이라 부르는 세습무당은 악사들의 반주에 맞추어 열 몇 가지 굿거리마다 다른 사설의 무가를 부릅니다. 엄청난 공력이 요구되는 중노동이지요. 그래서 전라도권에서는 소리가 좋은 사람을 뛰어난 무당으로 쳐줍니다. 세습이란 말에 들어있듯, 당골은 숙련을 통해 기예능을 발전시킨 사람입니다. 대나무밭에서 대가 나듯, 대대로 당골 집안에서 당골이 나왔습니다. 조선시대 승려, 광대, 기생, 백정 등과 함께 팔천^{八賤} 계급으로 분류돼 천대를 받았던 그네들은 당골 집안끼리 통혼^{通婚}을 해야 했습니다.

문화 다양성을 중시하는 현대 사회의 관점에서 보자면 그런 엄청난 민족 문화의 보고를 천업^{賤業}으로 얽어맸던 봉건제 사회의 한계에 답답함이 느껴집니다. 그때는 실용이고 뭐고 다 유학이라는 지배 이데올로기 아래에 깔려 있던 신분제 사회였으니, 천출들은 끽소리 못하고 평생을 살다갈 수밖에 없는 운명이었지요. 최명희 선생의 대하소설 『혼불』에 보면 당골 부부가 그 천민이라는 멍에를 자식대에서 벗어나게 해보려고 양반 무덤에 투장^{偷葬}하는 것이 나옵니다. 당시의 신분 질서가 어느 정도 뼈에 사무치는 것이었는지를 잘 보여주는 장면입니다.

그런 이야기를 들려주는 전라도의 노무^{老巫}가 아직 진도에 생존하고 계십니다. 진도군 의신면 원두리에 사는 채정례 씨^{1925~} 입니다. 그녀의 남편 함인천 씨^{1927~} 와 굿을 하러 다닌 지 50년이 넘었습니다. 아마 현존하는 최

고령 세습무일 듯합니다. 전라도 당골의 산역사라 할 수 있지요. 영락없이 촌에 사는 할머니 할아버지입니다. "아이고 뻗쳐 죽겠다 죽겠다" 하시면서 도 농사를 놓지 않는 고령의 농투성이 부부. 2007년 여름, 이분들이 하는 굿을 원판 그대로 보고 촬영할 수 있었던 것은 행운이었습니다. 인근 마을 초상집에 '곽머리 씻김굿'^{망자의 출상을 하루 앞둔 날 밤 관 옆에서 하는 굿}이 있었던 것입니다. 굿하는 채정례 당골과 제자 한명, 징 치는 남편, 그리고 장구 치는 채선생의 조카 강정태 씨^{1934~}가 굿하는 인원의 전부였습니다. '진도 씻김굿'이 중요무형문화재^{제72호}의 한 종목으로 지정된 이후 화려한 공연물처럼 변했다는 소리를 많이 들었는데, 직접 '진도 씻김굿'의 원본을 본 것입니다. 굿은 새벽까지 이어졌습니다.

처음에 인용한 속담 "굿구경을 하려면 계면떡이 나오도록 하랬다"는 뜻을 알 것 같았습니다. 무가의 사설을 알아듣지 못한 구경꾼에겐 상당한 인내력을 요구하는 것이었습니다. "**나무야 나무야/나무 나무 나무야/나무 불이나 길이나 닦세**/춘일은 원약하고 하월은 동령한데/청림녹엽이 만발한데 정처 찾아 쉬어를 가시오/**나무야 나무야/나무 불이나 길이나 닦세**/한 고부 가시다가/백로홍강 녹수일랑/원앙 한 쌍이 있었거든/새왕길이나 물어서 가시오."(〈씻김굿〉 중 길닦음) 망자의 넋이 극락으로 천도하는 길을 닦아주는 굿거리 〈길닦음〉에 나오는 사설 한토막입니다. 무슨 뜻인지 정확히 알 수 없습니다. 굿 구경꾼들 역시 뜻을 해석하기보다는 무당의 소리맛, 굿판을 끌어가는 무당의 능수능란함을 보고 있는 것 같았습니다.

쉬엄쉬엄 한다고 해도 자그마치 5시간 이상을 이어가는 강행군, 굿을 제대로 마치는 것은 보통 공력이 아니었습니다. "지금은 길 좋고 차가 댕기제만은 그 전에는 걸어서 댕긴께. 눈 많이 온 날 새벽에 오락^{이라고} 한께 눈에 몸이 빠져갖고 죽을 형편도 당해보고 그랬네. 그라고 밤에면 일하고 혼자 오다가 헛것도 많이 보고… 오죽하면^{무업이 얼마나 힘들었으면} 내 애들을 하나도

1. 2. 남편 함인천과 함께   3. 곽머리씻김굿 전에 무구를 만드는 부부
5. 6. 지금도 논밭에서 일하는 농민 부부   7. 곽머리씻김굿 중 길닦음   8. 곽머리씻김굿 중 넋올리기

안 갈쳤겠어? 너무나 고상^{고생}된께 안 갈쳤제."

　전남 신안이 친정이었습니다. 신안에서 살다가 진도로 이사온 뒤, 2살 어린 남편과 결혼했습니다. '소설 몇 권은 될' 시집살이를 하면서 젊은 시절을 살았습니다. 결혼하고 바로 굿을 한 게 아니었습니다. 평범한 농부로 살려고 애썼지만 궁핍을 면할 수 없었습니다. 당골이었던 친정어머니 밑에서 굿을 배웠던 언니 채둔굴^{2000년 작고} 대신 엉겁결에 굿판에 선 것이 계기가 되어 숙명처럼 굿을 받아들였습니다. 어머니는 배고픈 농사꾼으로 살아가는 딸이 안타까워 당골판을 나눠줬습니다. 제대로 배우진 않았지만 굿하던 집에서 자란 유전인자의 힘은 채정례 씨를 젊은 당골의 길로 이끌었습니다. "친정엄매가 나 가난한지를 알고 니가 (당골을 하면) 배는 안 고플 것이다 엄매 하시는 말씀이. 고상은 되어도 배는 안 고플 것이다. 나는 이것을 해도 밤새 가서

일하고. 누가 논에서 나락 비어놓고 비올락 하면 저물도록 가서 묶어줘. 일
을 그렇게 하고 살았어." 지금은 씻김굿을 제대로 하면 돈이 제법 듭니다만,
옛날 세상에는 당골과 마을 사람들의 묵계 같은 것이 있었습니다. 당골판을
가진 당골은 마을 집집이 다니며 굿을 해주고 가을에 곡식으로 그 대가를 받
았던 것이지요. 굿을 하면 굶지는 않는다는 말이 그 말입니다.

　이 백전노장의 굿을 보면서 드는 또 다른 생각은 "무당은 젊어야 하고
의사는 늙어야 한다"는 속담이 바뀌어야겠구나 하는 것이었습니다. 굿이 그
만큼 힘들고 많은 에너지를 소모한다는 의미에서 만들어진 표현이겠지만,
진짜 굿다운 굿은 '나이든 무당이 하는 것'이라는 느낌을 받은 것입니다.
굿판을 사로잡는 힘, 망자와 가족을 대하는 부드러움과 정성스러움, 비슷한
연배의 구경꾼들과 말을 주고받는 소통, 목청은 늙었으되 여전히 짱짱한 소

리 공력, 그런 것들을 보았습니다. 대체로 세련된 기예능의 공연처럼 하는 젊은 당골들의 굿에서는 느낄 수 없는 묵직함이었습니다. "아 이것이 오리지널이구나!" 그런 느낌 말이지요.

"우리나라 이씨왕은 춘추명절 달랬어도/염라대왕을 못 달래고/화타와 편작이는 약이 없어 죽었으며/공자 씨 맹자 씨는 글을 몰라 죽었던가/어와 청춘 소년들아 홍안백발 웃지 마소/어제 청춘 오늘 백발 그 아니 가련하며/당대에 일등 미색 곱다고 자랑마소/서산에 지난 해는 뉘기라서 금지하며/창해유수 흐르는 물 다시보기가 어려울세/불쌍하신 최씨 망제 불쌍하신 김씨 망제/삼신산 불사약을 구하라고 보냈건만/아차 한번 가게 되면 소식도 돈절하고/사우 평상 저문 날에 여사망초 뿐이더라/불쌍하신 망제 씨 아차 한번 가게 되면/백골난망 넋이 되야 혼자 슬피 울음 울면/그도조차 설리 울제…."(〈씻김굿〉 중 넋올리기).

망자의 넋을 청하는 굿거리 사설은 또록또록 귀에 들어오기까지 합니다. 다음은 돌아가신 박병천 명인도 살아생전 제대로 몰라서 배워갔다는 '희설_{저승의 육갑을 풀어주는 굿거리}'의 한 대목입니다.

"일신봉천 제불재천/상수설법 도제중에/백마나 권속 거느리고/명이나 명수 앞세우고/평등지옥을 면하소사/사제왕은 제사 오관대왕/일신봉천 제불재천/상수설법 도제중에/백마나 권속 거느리고/명이나 명수 앞세우고/태산지옥을 면하소사/불쌍하신 금일 망자/이차지 천근을 여웁시다/일원에 천근 월월에 천근/야호문전에 득수지/천근이야~."

넋을 손에 들고 앉은 흰옷의 당골은 성인처럼 보이기까지 합니다. 노인은, 망자는 물론 살아있는 가족을 위한 지극정성의 축원, 그것이 당골의 업이라는 것을 분명히 알고 있습니다. "그 집에 들어가서 일할 때는 속이 개안하게, 그 집 식구 열이면 열 아홉이면 아홉 하나도 안 빼놓고 한나썩 낫살이 물어갖고 낫밥 세어서 해야돼. 축원이 무지하니 무척 어려운 것이요. 그것을 잘해야 좋다 하제."

많은 굿쟁이들이 자연사했고, 살아있는 이들은 늙어서 생의 끝자락에 서 있습니다만 그녀는 제도적 보호를 받는 '문화재 명인'의 대열에 합류하지 못했습니다. 생애담을 털어놓는 내내 그것이 평생의 포한抱恨인 듯했습니다. 젊어서는 사회적 천대로 얻은 한, 굿이 가치를 인정받은 뒤에는 사회적 공인을 받지 못한 한, 건강 장수는 그 응어리를 풀어주는 것일까요. 팔순을 훨씬 넘긴 고령에도 씩씩한 목소리와 탄탄한 재담才談 가식없음이 명랑 소녀 느낌마저 풍깁니다. 굿을 무대로 가져간 명인들이 굿예술을 대중화하다 잃어버린 원형질의 굿. 그것을 여전히 평생의 업으로 알고 살아온 이 재야의 명인은 안빈낙도安貧樂道를 얻었습니다. 가치의 차이를 논하는 것은 훗날 사가들의 몫일 것입니다.

우리는 항시 잘되라고
빌어주는 사람들이제

김명례의 고흥 씻김굿

가상현실이 아닌가 싶을 정도로 사람 목숨이 가벼워진 것 같습니다. 2008년 온 사회를 충격으로 내몰았던 신종 플루, 2010년의 천안함 사태, 그리고 사회적 파장을 일으키는 유명인들의 자살 소식도 흔해졌습니다. 연예인들, 대기업 총수들이 얼마나 견딜 수 없는 큰 고통을 겪었길래 이승에서의 삶을 포기할까요. 어쨌든 이렇듯 삶과 죽음의 경계가 무너져가고 있지만 우리 선조들은 "개똥밭에 굴러도 이승이 좋다"는 말로 현세적 삶을 중요하게 여겼습니다. 천국과 지옥이 있다고도 하고, 윤회하여 다른 생물로 태어난다고도 하지만, 세상의 필부필부들에겐 이 세상을 떠나는 것은 두려운 일입니다. 신심 깊은 종교인들도 가기를 권하지 않는 그 길, 돌아올 수 없기 때문에 더욱 가고 싶지 않을 것입니다.

이렇듯 사후 세계는 금단의 영역이었고 두려운 것이었습니다. 하지만 최근에는 죽음에 대한 대비랄까, 준비도 퍽 많아지는 것 같습니다. 가상현실감을 느낄 정도로 죽음이 더 이상 놀라운 뉴스가 아니기 때문인지, 죽음 예비학교, 죽음 체험, 웰다잉well-dying 등 죽음에 대한 적극적인 준비와 탐구가 많아졌습니다. 언제든 나와 우리의 문제로 닥칠 수 있다는 것을 인정하기 시작한 흐름인 거죠.

"삶과 죽음이 모두 자연의 한 조각이 아니겠는가?" 2009년 5월 노무현 전대통령이 남긴 한 마디는 큰 울림으로 남아 있습니다. 유언이라기엔 우주의 한 현상과 섭리를 각성케 한 그 말씀, 그 안에 우리네 선조들의 생사관生死觀이 담겨 있습니다. 흔히 '무당굿'으로 일컬어지는 제의에는 그런 가치관이 깔려 있지요. 생명을 다한 육신은 자연으로 돌아간다, 그러므로 평생 이승에서 쌓은 업業과 한恨을 깨끗이 씻겨서 내세로 보내줘야 극락왕생極樂往生한다… 신안, 영광, 해남, 진도, 고흥 등 전라도 서남해안을 중심으로 폭넓게 행해졌던 무당굿은 '씻김굿'이라는 이름으로 지금도 행해지고 있습니다.

전라도에서 이름난 당골은 대부분 자연사自然死를 앞둔 연배이거나 2세대 느낌을 풍깁니다. 전남 고흥지방에서 세습무로 살아온 김명례 씨1941~ 의 경우는 1세대치곤 '젊은' 당골입니다. '당골판'에 대한 기억이 또렷하다는 김명례 당골 역시 세습무계 집안에서 태어났습니다. 12살 때 돌아가신 친정어머니는 점을 쳐주는 정도였지, 굿판을 끌고 갈 예능은 없었다고 합니다. 12살 이후 친정어머니의 부재를 메운 의붓어머니는 비빌 언덕이 아니었습니다. "새엄마가 들어왔는디 자기가 신고 다닌 신도 안닦아. 나보고 닦아주라 해. 그렇게 새엄마 노릇을 짱짱이 하더만. 내가 살아나온 것이 한이 많아갖고 사랑을 못 받아갖고. 엄마 사랑도 받고 잪고 형제간 사랑도 받고 잪고…." 논밭일에, 베틀질에, 쉴 새 없는 고된 노동의 나날이었습니다.

스무 살에 10살 많은 세습무계의 남편에게 시집을 간 뒤, 시어머니에게서 굿을 배웠습니다. 5년여 동안 생업인 농사를 지으며 굿판을 따라다녔고, 30살에 시어머니의 조연助演으로 데뷔했습니다. 그때가 '조국 근대화'니 '새

3. 4. 5. 굿판의 동료이자 남편 박운기 씨와 함께

마을운동'이니 하며 대대적으로 굿을 탄압했던 박정희 전대통령이 서거했던 1979년입니다. 그런 정치사회적 환경에서도 굿의 수요는 상당했던 모양입니다. 지금도 사면이 바다로 둘러싸여 있는 제주도에 굿이 가장 많이 남아있듯, 남해 바다와 맞닿아 있는 고흥 촌부들에게 굿은 생활과 밀접했을 것입니다. 뱃일하는 사람이라면 누구나 자연재해를 무서워했기 때문에 민중들은 빌고 또 빌어주는 굿문화에 의지하며 살았습니다. 천안함뿐 아니라 언제든 순식간에 인명을 삼킬 수 있는 바다는 지금도 두려움의 대상이지 않습니까. 그래서, 김명례 씨의 말마따나 당골의 숙명은 비는 것이라고 합니다. "우리는 온상 잘되라고 빌어주는 말밖에, 빌기밖에 안하는 사람들이제. 우리는 항시 빌제. 산이 보이면 산보고도 빌고 물이 보이면 물보고도 빌고. 그라고 다닌께 그 짝으로 좋아진 사람이 많지. 안 좋아진 사람이 많고 좋아진 사람이 적었다라고 하면 이거 굿 없어졌을 거요 진작에…."

평생 굿의 동반자였던 남편^{박운기 : 1931~}은 농사짓는 일에 관심없는 '한량 딴따라'였습니다. 요즘말로 하자면 국악인이지요. 남편의 장단에 맞춰 굿판을 누빈 세월이 어느덧 40년을 바라봅니다. 뱃속의 아이를 10개월 품었다 내놓는 출산이 고통이자 희열이듯, 초저녁에 한번 시작하면 밤을 꼬박 새우기 일쑤인 굿 역시 고통이자 희열이었습니다. "옛날에는 비포장길을 다니느라 불편했어. 수십 리 길을 예사로 걸어댕겼어. 옛날에는 늦게까지 일을 했거든요. 아침까지 날 새도록 한 적도 있고. 오죽 고생했겠소. 나는 괜찮은디 안사람이 고생을 많이 했지." 남편의 말입니다.

최근 들어 굿이 많이 줄었다지만, 보통 1주일에 한번씩은 일이 생긴다고 합니다. 굿쟁이들도 줄었기 때문에 고흥 순천 일원에서 굿을 필요로 하는 사람들은 대부분 김명례 씨 부부를 찾습니다. "못한다 소리는 안 들을 만큼 잘해줬기 때문"이랍니다. 우리 속담에 "술은 묵을수록 좋고 의사는 늙을수록 용하다"는 말이 있습니다. 옛날에는 의사 노릇까지 했던 무당, 굿맛을 내는 숙수熟手는 당연히 산전수전 다 겪은 노무老巫인 것이지요.

　80대 노구를 이끌고 굿판에 서는 큰무당도 계시는데, 이제 70줄에 앉은 김명례 당골이 펼치는 굿판은 당분간 자주 볼 수 있을 듯합니다. "나가 사주 팔자에 업을 많이 짓고 나온 사람이라 이런갑다 싶기도 하지만, 그 집 조상님들 굿게나쁘게 안 빌어주고 어쩌든지 좋은 곳으로 가라고 빌어주제. 나도 안 죽어봤은께 저승이 있는지 없는지도 모르고. 또 신앙은 자유라 하느님 믿는 사람도 죽어봐야 알지 안 죽어보면 모르제. 그러니께 옛날부터 내려온 이거는 한마디로 전설이라고 말할 테지 우리가 해온 것이."

　뼈에 사무치게 천대의 세월을 살아온 터라, 당골네 자식 소리 안 듣게 하려고 자식들에게 가르치지 않았던 굿. 부부가 늙어서 못할 때가 되면 사라질 줄 알았던 굿을 큰딸박선애이 잇겠다고 나섰습니다. 신병=무병이 온 것입니다. 내림굿을 받고 세습무로 가르치기 시작했습니다. 딸은 천대받았던 부모의 생업을 '한민족의 예술'로 키워가겠노라는 포부를 갖고 있습니다. "십년 전에 부모님이 굿판에 서신 모습을 처음 봤어요. 너무 훌륭하시더라구요. 음악 자체가 계속 들어도 질리지가 않고. 세상도 많이 바뀌었고, 기필코 멋진 예술로 만들 거예요." 인생사 새옹지마塞翁之馬, 자식들 앞길 막을까 전전긍긍하며 무업을 이어온 김명례 씨 부부의 씻김굿이 딸네에 와서 예술로 꽃을 피울 것 같습니다.

왔네왔네, 만고영천의 혼신들 왔네

박경자의 순천 씻김굿

씻김굿은 진도에만 있는 줄 알았습니다. 1980년 '진도 씻김굿'이 중요무형문화재로 지정된 영향이 큰 것 같습니다. 사실 씻김굿은 전라도 곳곳에서 행해져 왔고, 지금도 행해지고 있습니다. 따라서 '전라도 씻김굿'이라 통칭하는 것이 옳습니다. 지역마다 고령의 무당들이 있어서 지금도 굿을 찾는 사람들은 적지 않습니다. 문화적 뿌리라는 것은 그렇게 생명력이 강해서 씨가 마른 것 같아도 모세혈관처럼 가늘고 긴 생명력을 갖고 있는 모양입니다. 지역마다 씻김굿이 다른 것은 문화 다양성이라는 말로 해석해야 할 듯합니다.

생활현장의 의례로서 굿은 많이 변했습니다. 정성으로 마련했던 음식도 주문해서 마련하고, 굿을 행하는 장소도 집안이 아니라 굿당이나 병원 영안실로 바뀌었지요. 전라도 동부지역의 특색 있는 씻김굿을 연행하는 박경자 씨[1931~]는 오리지널 당골의 면모를 갖고있는 분이었습니다. 세습무계世襲巫系 집안에서 태어났고 세습무계끼리 통혼通婚을 했던 당대의 습속대로 28세때 세습무계 집안으로 시집을 갔습니다. 시아버지가 남긴 무가집巫歌集으로 사설을 익혔고, 굿쟁이였던 남편 김순태[1926~1994]와 장단을 맞추면서 굿쟁이로서 깊어졌습니다. 남편은 굿판에서 잔뼈가 굵은 굿의 동반자이자 선생이었습니다. 야단맞고 혼나면서 굿을 배웠습니다. "(남편 김순태는) 장단 허다가 장단이 딱 틀리면 장구채 장구통에 딱 붙이고 안해요. (장단이) 틀어졌다고 안해부러. 나 깡쇠채로 머리빡도 여러번 맞았어요. 장구채로도 맞고. 잘 못한다고 때려분당께. 사정없이 때려부러."

당골 집안에서 나고 자란다고 저절로 예능이 익혀지는 건 아니었습니다. 이를 악물고 배우고 익히게 된 계기가 있었습니다. "나 선생은 아니지만 할머니가 한분 돌아가셔 부렀어요. 그분이 젊었을 때 내가 우리 막둥이 아들을 업고 굿을 보러갔어요. 갔는디, 그 할매 말이 우리 영감 이름이 (김)순태거든요. 순태 각시는 굿도 못함시로 여기를 뭣하러 왔냐고, 그 소리가 귀에 딱 들리네. 그래서 어떻게 부애가 나던지 누구한테다 분풀이를 못허고 뒤안에 가서 몽창 울었어. 울고는 막 그날 저녁에 열심히 듣는 거야 이제. 이것 내가 제대로 배워갖고 저 할매 앞에서 굿을 꼭 해야겠다고. 애기 보듬고 앉아서 애를 쓰고 들어…."

문자를 모르는 세대였기 때문인지, 아님 정말 이를 악물고 듣고 배워서인지 그 능력이 채워졌던 모양입니다. 신내림을 받은 딸 김명이 씨가 친정 엄마를 스승으로 모시고 굿을 잇고 있습니다. 딸이 친정 엄마의 내공을 선천적인 것으로 생각할 만큼 당골 박경자의 노력은 엄청났던가 봅니다. "요즘에 일해 보면서 느끼는 게 엄마는 참 무서운 분이구나, 사실 우리 그거 아무리 해도 안 되거든요. 굿 사설을 외울려고 해도 안 되고. 그 어느 순간에 굉장한 집중력을 보이세요. 우리는 아무리 집중해도 안 되더라구요. 우리가 흔히 말하는 석사 박사들보다 더 무서운 집중력을 보이시고. 또 그게 되시나 봐요. 천성적으로 타고나신 거 같애."

2008년 봄, 순천에서 박경자 무당이 주재하는 굿을 볼 기회가 있었습니다. 굿을 준비하는 과정부터 지켜봤습니다. 정성껏 무구巫具를 만드는 것부터 굿

1. 남편 김순태 씨와 함께   2. 3. 젊은 시절 굿을 다니던 모습

의뢰인과 이런 얘기 저런 얘기 나누는 걸 보니, 영락없는 시골 할머니입니다. 그 옛날 배운 그대로 원형의 굿을 하는 걸 보며 느낌이 참 좋았습니다. 명인이니 예인이니 하면서 무대에서 한 토막씩 공연하는 것이 아니라, 굿을 원하는 사람에게 가서 축원하고 덕담해주는 게 진실성 있어 보였습니다.

진도에서 하는 굿과 다른 굿거리도 있어서 신선하기도 했습니다. 바리데기신을 청배^{請拜}하고 망자의 저승천도를 축원한다는 '오구굿'은 순천 씻김굿의 특징적인 굿거리로, 전체 굿의 중반부에 들어갑니다. 중량감이 느껴지는 노무^{老巫}가 머리에 실을 얹고 자장단을 치면서 사설을 냅니다. "온갖 음석^{飲食}에다가 풋내를 거슬려노니/밥에서는 뭇내 나고/국에서는 난장내 나고/물에서는 해금내 나고/수저에서는 녹내 나네/먹든 음식 밀쳐놓고/먹든 음식을 정하여/석달에 입덧이 나고/녁달에는 사색 나고/다섯 달에 오포 받이/여섯

달 육정살이 삼기고/일곱달에 칠규 열어/여덟달 팔삭이며/아홉달 구궁 열어/ 십삭을 배설하여 노니/하루는 오구부인이 해복解腹 기미가 있었구나/네귀난 방 가운데/두귀난 짚단을 펴고/석부정부좌席不正不坐며 할부정불식割不正不食이 고/목불시악색目不視惡色 금강문에 연지문에/대문 삼문을 고이고이 열어−/짚 자리 잡아 탄생을 허고 보니/여식 아이가 탄생을 하얐구나~." 판소리 〈심청 가〉 가운데 곽씨부인 해산 대목의 사설이 무가 사설로도 등장합니다.

순천 씻김굿과 한 몸으로 붙어 있는 '삼설양굿'이라는 게 있습니다. 거리 굿의 일종으로 밤새 춤과 노래를 부르며 잡귀들의 재앙을 물리쳐 병을 낫게 하는 치병治病굿입니다. 방, 부엌, 샘 등 오방五方을 돌며 굿을 치고 난 뒤 거리 에 나와서 하는 굿인데, 옛날 옛적 굿이 흔할 때 벌였던 일종의 막간 연극입 니다. "왔네왔네 내가 와/어느 혼신이 아니 오며/어느나 귀신이 아니 올까/천 하궁 혼신도 내가 오고/지하궁 혼신도 내가 오고/물 위에 도신도 내가 오고/ 물 아래 도신도 내가 오고/물 안에 도신도 내가 오고/물 밖에 도신도 내가 와 /만고 영천에 혼신들/내라도 많이 먹고 내 돌아가세/왔네왔네 내가 와…"

하늘이 내린 사제처럼 묵묵히 굿판을 주재하던 박경자 무당, 삼설양굿을 할 때는 웃음을 전하는 연기자가 됩니다. 굿이란 게 신비스러운 것만 있는 게 아니라 희로애락, 기승전결이 다 들어 있는 것임을 보여줍니다. 한 권의 소설 분량만큼을 다 외워서 배치하는 능력이라고나 할까요.

전남 순천시 대룡동, 마을 노인회관 앞에 크나큰 당산나무가 덩그렇게 서있고 혼자서 시간 보내기가 고적한 노인들이 마을을 어슬렁거리는 촌동 네. 어느덧 80줄에 앉은 이 소박하고 욕심 없는 할머니가 사는 동네입니다. 박경자 할머니는 뒤늦게 얻은 전라남도 무형문화재 타이틀을 명예로 간직 하며 집 뒤안에 두어 평짜리 텃밭에서 고추 심고 오이 심어 가꾸는 낙으로 하루하루를 지내고 있습니다.

상처이자 운명,
그 무엇과도 바꿀 수 없는 희열의 굿

정영만의 남해안 별신굿

세계적인 작곡가 윤이상이 부두에서 들려오는 무녀^{巫女}의 소리에 음악적 영감을 얻었다는 곳, 경상남도 통영시는 임진왜란때 수군통제영^{水軍統制營}이 있던 곳입니다. 군사기지였던 수군통제영을 줄여서 통영^{統營}이라 한 것이지요. 경상남도 해안지역에서 전라남도 해안지역까지, 한려수도라 일컬어지는 남해안 지역의 문화가 교섭하던 중심지 가운데 한 곳입니다.

경남 통영, 거제도 지역은 '남해안 별신굿'이 행해져 왔습니다. 경상도 억양과 사투리를 쓰는 지역이지만 부산 울산을 중심으로 발달한 '동해안 별신굿'과는 다른 굿입니다. 굿에 들어가는 악기들도 피리 해금 대금 가야금 등 화려한 편성입니다. 무녀의 무가^{巫歌}와 화려한 악기들이 빚어내는 시나위, 2007년 여름 남해안 별신굿의 진면목을 볼 기회가 있었습니다.

남해안 별신굿은 강신무^{降神巫}들이 주재하는 굿이 아니라, 예인들이 세습해온 굿입니다. 어려서부터 굿판에서 자라왔고 선조들이 세상을 떠난 뒤에도 이 굿을 지켜온 정영만 씨^{1956~} 가 세상을 떠난 선조들의 극락왕생을 비

는 오구새남굿을 올리는 날. 굿이 벌어지기 전날 전수관이 분주하게 움직이고 있었습니다. 악사들이자 수제자인 아들딸들이 무구를 만들고, 무녀와 호흡을 맞추며 이튿날 벌어질 굿 준비에 여념이 없었습니다. 지금이야 굿이 수많은 사진가들을 불러들이는 스펙터클한 공연예술이 됐지만, 20년 전 남해안 별신굿의 위상은 그런 것이 아니었습니다. 천대받는 굿쟁이 광대들끼리 이어나가던 밥벌이 수단이었지요. 굿의 수요층은 대개 교육받지 못한 노인들이었고, 산업화가 진전되면서 굿은 있어도 그만 없어도 그만인 풍속이 되었습니다.

어려서부터 굿판에서 자란 정영만 씨는 굿이 상처이자 운명이었습니다. 할머니, 고모, 삼촌들의 손에 이끌려 굿을 배웠고, 학창시절에 악사의 일원으로 굿판을 다녔습니다. 그러나 시대는 굿이 미신과 동일시되던 시절, 박

정희 정권의 새마을운동이 활발하게 벌어지면서 전국 곳곳의 굿당이 헐리고 무속인들이 탄압받던 시절이었습니다. 무당집 새끼라는 손가락질 속에 가해진 집단 따돌림과 심심찮은 구타는 소년에게 깊은 상처를 남겼고, 소년의 뛰어난 피리 연주 솜씨는 버려야 할 유산으로 치부되기 시작했습니다.

"일본 사람들이 우리 무속을 총칼로 짓밟았다면 우리나라 사람들은 오히려 그걸 본받아서 총칼과 정신적으로 엄청나게 가해를 했죠. 그 새마을운동 때 미신타파 한다고 우리집 지붕에 돌멩이가 올라왔어요. 저희집 무당집. 학교 친구들에게 얻어맞아가지고 귀 고막이 터지고…." 성장기의 상처는 소년의 인생행로를 바꾸게 했습니다. 기계 엔진 훈련생으로, 공장의 직공으로, 요정의 악사로, 배 기관장으로, 버스 운전수로, 택시 운전수로, 갖가지 직업을 떠도는 동안 굿은 그의 가슴속에서 잠자고 있었습니다.

2. 3. 6. 옛날 별신굿하던 때 4. 아버지의 예능을 잇고 있는 자식들

아마 정부의 문화재 보호정책이 없었더라면, 그 정책이 있었다 하더라도 타이밍을 놓쳤더라면 이 굿 역시 조용히 사라질 운명이었을 겁니다. 1987년 7월 '남해안 별신굿'이 중요무형문화재 제82-라호로 지정되면서 전승의 기반이 생겼고, 택시운전을 하던 정영만 씨는 마음속에서 잠자던 '무당질'을 다시 일으켜 세우기 시작합니다. 제도적 보호막이 생겨난 마당에 굿을 운명으로 받아들이지 않을 이유도 없었습니다. "우리 선조들이 돌아가실 때면 우리 집안 사람들은 굿을 해줬어요. 근데 굿했던 분들이 다 돌아가셔서 그 굿마저도 할 사람이 없는 거예요. 그냥 일반 사람과 같이 돌아가시게 한단 말이죠. 나는 그게 가장 안타까운 거예요. 자 누가 피리를 불 것이며 누가 무녀의 그 구슬픈 구성진 소리는 낼 것이며… 없단 말이죠. 내 혼자 남았어요. 그러다 보니까 안 되겠다 이 굿을 꼭 살려야 되겠다. 살려서 우리 선생님들 굿을 내가 해줘야 되겠다. 이것은 필연이구나…"

배워서 무녀를 하겠다고 나선 젊은 후배들을 가르치고, 아버지의 피를 타고난 자식들을 굿판에 끌어들였습니다. 세습을 통한 교육이란 피를 나눈 유전인자만큼 강력할 수 없는지라, 두 아들과 딸은 지금 어엿한 국악인으로 성장했습니다. 성장통이 없었을 리 없고, 굿이 국악이 된 지금에도 편견의 벽은 강고한 듯합니다. 별신굿 할 때면 해금 연주자로 굿판에 서는 딸 정은주 씨는 말합니다. "지금도 저희한테 친구들이나 다른 사람들 만난다고 그러면 (아빠가) 그 사람들이 우리 굿하는 거 아느냐고 물어보시거든요. 저는 굿하는 게 절대 부끄럽지도 않은데. 우리 거잖아요 우리 집안 거고. 우리나라에서 내려오는 토속신앙 그런 건데 절대 부끄럽다 생각하지도 않고 하는데 아빠는 어렸을 때부터 굿하는 집안 새끼무당 이런 게 머리에 콕 박혀있나 봐요."

한국 굿탄압사의 산증인이 인간문화재가 되어 있는 상황은 그동안 우리 문화를 우리 스스로 얼마나 폄훼하고 경시했는지를 알려주는 증표임이 분명합니다. 천상 굿쟁이 정영만 명인은 이제 굿을 지켜나가야 하는 책임감

못지 않게 굿을 위대한 민족예술로 자리매김하도록 하는 데 열정을 쏟고 있습니다. 그냥 되는 일이 아닙니다. "남들은 타고난 피리라고 하지만 결코 이게 그냥 얻어지는 건 아닙니다. 피리를 하나 불어도 물론 사명감은 있죠. 헌데 그게 끈기를 가지고 고비를 넘기지 못하면 도저히 이루지 못하는 겁니다. 그래서 그만한 끈기와 인내를 가지고 노력을 해야지 그러지 않고는 대가 이어지지가 않아요. 정말 힘들어요. 옛날에는 밥을 먹고 살기 위해서 이렇게 대를 이어나갔는데 지금은 밥벌어 먹기가 굉장히 힘들어요. 미래가 보장이 안 되니까 과연 대를 이어나간들 이게 보장이 되겠는가. 어떤 때는 암담합니다 솔직히."

민속도 의례도 세월 따라 바뀌는 것. 완창하려면 5시간 걸리는 판소리도 토막소리로 불리고 눈대목만 알려지듯, 하룻밤을 꼬박 새웠던 굿도 조금씩 짧아졌습니다. 굿거리 하나하나 그 뜻이 있었겠지만 이제 굿은 그 뜻을 모르는 구경꾼들에 둘러싸여 있습니다. 진짜 원판을 보기 어려워졌다고 해야 할지, 진짜 원판을 다 보는 게 의미가 없어진 건지 모르겠습니다. 하지만 굿쟁이의 마음은 끊임없이 부족한 부분을 자책하며 완벽한 작품을 꿈꾸는 예술가의 그것과 다르지 않습니다. 특히 악사의 몸으로 남해안 별신굿을 끌어온 정영만 씨의 생각은 자꾸 먼저 돌아가신 선조들과 함께했던 시절로 돌아가는 듯했습니다. 눈과 귀로 서로 알아채며 소통했던 절묘한 팀워크의 그 시절 말이지요. "무녀의 소리와 타악기가 같이 어우러져서, 그렇게 잘 어우러져서 연출되었을 때 관중들이 그 음악을 듣고 동화되었을 때, 좋아, 그런 맛으로 하는 거예요. 그런 음악이, 아 그런 맛에 맞아떨어지는 그런 맛에 하는 거죠. 기가 차죠 이건. 그 소리 좋다, 얼씨구 소리 좋다. 피리와 젓대 해금, 무녀의 소리, 장단 어우러져 가지고 탁 갔을 때는 무엇과도 바꿀 수가 없죠. 정말 희열을 느낍니다."

02
여성

방애 불렁 저 검질 매자

강산옥의 검질매는 소리

"바람부는 제주에는 돌도 많지만/인정많고 마음씨 고운 아가씨도 많지요/감수광 감수광 날 어떵허랜 감수광⋯."

당대의 히트곡 〈감수광〉에는 내륙지역과 달리 세 가지가 많은 제주도의 특색이 가사에 드러납니다. 여자, 바람, 돌이 많은 삼다도三多島. 4면이 바다로 둘러싸인 탓에 어업이 생계업이었던 제주도에서는 힘 좋은 남자들이 바다에 나갔다가 조난 사고를 당하는 경우가 빈번했습니다. 여자가 많다는 것은, 단도직입적으로 말해 과부가 많다는 아픈 이야기입니다. 남편 잃은 여성들이 생계를 위해, 자식 부양을 위해 얼마나 고달픈 노동을 했는지 알 수 있지요. 흔히 해녀라 칭하는 잠녀潛女들이 하는 바다일이라는 것이 낭만과는 아득히 먼, 밭일과 함께 병행해야 할 이중노동 가운데 하나였음을 알 수 있습니다. 바람과 돌이 많은 이유는 제주도가 화산 분출로 만들어진 섬이었던 데서 이유를 찾을 수 있겠구요.

이런 삼다도 제주도는 역으로 남자, 논, 소가 적은 삼소도三少島이기도 합니다. 억지로 갖다붙인 것 같지만 이런 현상은 제주지역에 전해오는 소리문

화를 이해하는데 중요한 배경이 되는 듯합니다. 논농사가 발달한 내륙지역에 비해 논이 거의 없는 제주도에는 논농사노래_{들노래}라는 것이 없습니다. 경기, 충청, 영남, 호남지역에서 마을마다 모를 찌면서, 모내기를 하면서, 벼논의 김을 매면서 불렀던 들노래가 있었던 것과 확연히 다르지요. 대신 밭노동이 대부분을 차지하면서 밭에서 부르는 노래가 발달했습니다. 밭노래도 내륙지역의 것과 좀 다릅니다. 메기고 받는 구조인데, 공동체적이라고 할까요. 이는 내륙지역의 밭노래 가창자가 대체로 혼자서 흥얼거리며 부르는 것과는 사뭇 다릅니다.

품앗이의 개념도 달랐습니다. 조선후기에 이앙법이 도입되면서 생겨난 '두레'가 내륙지역에서 농요_{農謠}와 풍물굿을 낳은 터전이었던데 반해 제주도에서는 여성들이 수눌음_{제주도에서 품앗이를 일컫는 말}을 하면서 김을 매고 밭일을 했습니다. 진사대_{긴 소리} 쫀른사대_{짧은 소리} 아웨기소리 등 제주지역에서 밭매는 소리가 다양하게 전승되는 이유입니다. 제주지역에서 밭일을 할 때 수눌음은 많게는 30여명, 적게는 열댓명이 했는데, 선후창_{先後唱}을 하면서 노래를 하는 구조입니다. 내륙지역에서 하는 들노래와 비슷한 구조입니다. "아 아야 에 헤양 에헤요_{뒷소리}/방애 불렁_{방아 불려서} 저 검질잡초 매자/아 아야 에 헤양 에헤요/산천초목 푸쉽새_{풀과 나뭇잎는}/아 아야 에 헤양 에헤요/해년마다 프릿프릿_{파릇파릇}/아 아야 에 헤양 에헤요/우리 인생 일년 동안에도/아 아야 에 헤양 에헤요/어제 청춘이 백발이 되었구나/아 아야 에 헤양 에헤요/젊어 청춘에 부지런하소/아 아야 에 헤야 에헤요…" 〈밭매는 소리의 한 가지인 아웨기소리〉 이런 식입니다.

강산옥 씨_{1926~}도 제주도에서 이름난 밭노래 소리꾼 가운데 한 명입니다. 할머니는 일제강점기가 굳어져가던 1926년 서귀포 성산읍 신풍리에서 태어나 여느 제주도 아낙처럼 잠녀_{潛女=해녀}와 밭농사꾼으로 평생을 살았습니다. 여느 내륙지역의 논농사처럼 밭일을 할 때 노래가 곁들여지면 일이 훨씬 쉬웠습니다. "가는 중 몰라 시간 가는 줄. 옛날에는 밭맬 때 혼자만은 못 매거든. 지루워서. 못 매니까 다 동네 사람들끼리 수눌어^{품앗이를 해}. 오널은 이 집이꺼 낼은 저 집이꺼. 열 사름^{사람}이나 열다섯 사름^{사람}이나 이제 밭매레^러 가민^{가면} 젤^{가장} 이그녁^{오른쪽}에 아장 선소리 허랜^{하라면} 나는 또 선소리 허고 그 다음 사름덜은^{사람들은} 홋소리 받고. 그 검질^{잡초} 매는 소리도 여러 가집니다. 사대소리도 허고 또 늦은 사대도 있고…"

여자의 몸으로 태어났지만 남정네들을 능가할 정도로 활동적인 분입니다. "제주도 여자덜이 남자 몇 배 활동을 허니까 바빠. 저 고생 많이 해여^{했어요}. 육지 부인들은 남편 하나 해그내 참 직장이라도 댕겨도 그 뒷이 허곡 이 제주도 여자덜은 일을 몇가질 헙니까? 바다에 강 허지 밭일 허지 또 이젠 미깡밧디 일 허지 아니 허는 거 없이 그 남자보담 여자가 몇 배 헙니다. 여기 사람들 강해여. 제주도 여자들은 진짜 강해여." 못 알아먹는 제주도말이 군데군데 섞여 있지만, 말씀인즉슨 육지 여성들은 남편에게 의존적인데 반해 제주도 여성들이 육지 여성들보다 훨씬 더 일도 많고 살림도 잘한다는 뜻입니다.

대개 소리꾼 정보를 얻고 전화를 드리면 적극적으로 "오라"고 하는 분들이 있고 짐짓 원하면서도 "잘 하지도 못하는데 뭘" 하면서 마지못해 수락하는 분들도 있습니다. 적극적으로 "오라"고 하는 분들은 대체로 마을 안팎에서 자타가 공인하는 소리꾼인 경우가 많습니다. 이 할머니도 자신 있게 "오라"고 한 분이었습니다. '성대'^{목청}가 좋은 친정어머니로부터 우성 형질의 목을 받아서 어려서부터 노래를 잘했다고 합니다. 지금도 마을 노인회장을 맡고 있을 만큼 사교적인 성격으로, 노인당에서도 옛 노래를 하는 게 소일거리라고 했습니다. "우리 친정어머니가 그렇게 성대^{목청}가 좋았어요. 성대가 좋으니까 꼭 나만 지적하는 거라. 물레소리 해보라 뭐 하라 그랬는데 이젠 나이가 들어부난^{들어버리니} 다 없어. 가사도 다 잊어버리고 아무것도 없

2. 잠녀로 일하던 젊은 시절

어." 공동 노동의 흔적은 제주도라고 비껴갔을 리가 없겠지요. 지금도 밭일은 있지만 노동 방식은 개인화된 지 오래. 고되기도 했지만 그만큼 즐거움에 불렀던 할머니의 노래 보따리도 묵정밭이 된 건 당연한 일입니다.

밭일꾼이며 선소리꾼으로서의 모습만이 전부가 아닙니다. 인생의 태반은 잠녀潛女, 제주에서는 줌녀 줌네라고 불렀고, 해녀는 일본에서 건너온 말이라고 합니다로 살았습니다. 보통 한 달에 보름, 하루에 6~8시간씩 바다에 나가 일을 했던 여인들. 1629년 제주도에 와서 귀양 살던 이건李健은 〈제주 풍토기〉에서 잠녀들의 삶을 이렇게 기록하고 있습니다. "바다에 나가 물고기와 해산물을 잡는 여자들을 잠녀潛女라고 한다. 잠녀들은 전복을 잡아서 관가에 바치고 나머지는 팔아서 살림살이를 꾸리지만 그 삶의 어려움은 이루 말할 수 없다. 부정한 관리가 교묘히 빼앗기를 수없이 하는 까닭에 한해 내내 애써 일을 해도 그 요구를 들어주기에 부족하다…."

일제강점기인 1932년 잠녀들은 제주 곳곳에서 일본 관리와 경찰에 맞서 싸우기까지 했습니다. 생존권 투쟁이었지요. 그 흔적이 '해녀 항일운동 기념공원'에 남아있습니다. 당시 잠녀 항쟁을 이끌었던 강관순은 〈해녀의 노래〉를 짓기도 했는데, 노랫말이 당대의 힘겨움을 고스란히 말해줍니다.

"우리들은 제주도의 가이없는 해녀들/비참한 살림살이 세상이 안다/추운 날 더운 날 비가 오는 날에도/저 바다 저 물결에 시달리는 몸" "아침 일찍 집을 떠나 황혼 되면 돌아와/우는 아기 젖 먹이며 저녁밥 짓는다/하루종일 해봤으니 번 것은 기막혀/살자 하니 한숨으로 잠 못 이룬다…" "…이른 봄 고향산천 부모형제 이별하고/온가족 생명줄을 등에다 지고/파도 세고 무서운 저 바다를 건너서/조선 각처 대마도로 돈벌이 간다" "배움없는 우리 해녀 가는 곳마다/저 놈들은 착취 기간 설치해 놓고/우리들의 피와 땀을 착취해간다/가이없는 우리 해녀 어데로 갈까…."

강산옥 할머니는 그 노래가 불리던 때 예닐곱 살이었습니다. 흡사 아마존의 원시부족으로 태어난 아이들이 그맘때 어른들을 따라다니며 사냥을 배우듯, 강할머니는 그 나이에 헤엄치는 법을 배워야 했습니다. 얕은 물에서 조개를 잡거나 미역 같은 것을 뜯다가, 점점 실력이 늘면서 바다 깊숙이 들어가 해삼이며 전복을 따오는 잠녀로 성장했습니다. "나는 물질을 한 60 되면서 설렀어요^{안하기 시작했어요}. 지금 80된 사람도 물질허는 사람 있어요. 그때 막 몸이 아파가지고 설르기 시작했는데 가정은 너무 바쁘고 남자가 일을 안 해부난^{안 해버리니} 우리집이 영감은 일을 원 몰라. 일을 못해여. 그러니 나가 남자일 여자일 다 그거 허자고 허난 보통 힘든 게 아니여. 제주도 여자들 생활력 강헙니다. 저 육지 여자덜은 오랑 따라가지 못허여." 교편을 잡았던 영감님이 일을 도와주지 않았지만 혼자서 밭일, 바닷일을 억척스럽게 해서 아들들을 대학, 대학원까지 공부시켰습니다.

한 개인의 인생을 통해 제주의 역사가 갈피갈피 묻어나왔습니다. 제주도에 전해 내려온다는 속담 두 가지가 제주 여성의 위상을 잘 말해줍니다. "똘나민 도새기 잡앙 잔치하곡 아덜 나민 발질로 조롬팍 찬다"^{딸 낳으면 돼지 잡아 잔치하고 아들 낳으면 발길로 엉덩이 찬다} "예주로 나느니 쉐로 나주"^{여자로 태어나느니 차라리 소로 태어나겠다} 바닷일을 하다가 죽고, 관아의 착취를 못 견뎌 죽고, 육지로 도망가다가 죽고, 남자들 없는 가정을 맨몸으로 지켜야 했던 제주 여성들. 그 억척스러운 삶을 물려주고 싶지 않았던 것입니다. 물론 이 모든 이야기도 관광객의 눈으로 보면 호랑이 담배 피우던 옛날 이야기일지 모릅니다.

하지만 생활현장을 찾아가면 그게 보입니다. 80년 넘게 살아온 할머니들의 마음 속엔 아직도 그 기억이 선연합니다. 그래서 잊혀져가는 노인을 찾아와준 내륙의 젊은이들에게 당신의 역사를 보여주고 싶으셨나 봅니다. "여기 제주도는 여름에 조 검질^풀 매고 조 보고, 겨울에 보리 갈앙^{갈아} 봄에 보리를 보니 옛날에 물고래^{연자방아}라고 있어요. 이제는 기계 낳지만 그때는 기계도 없이. 밤에는 물고래 돌리는 노래를 다해여. 그런 시대에 아주 바쁜 시대에 우리가 낳아 고생했어. 요즘 사람들은 너무 귀천을^{어려운 줄을} 몰라 귀천을 몰라…."

마을에서 이웃하며 사는 강해송 할머니를 불러내 맷돌질을 하며 불렀던 〈ᄀ래고는 소리〉를 들려주겠다십니다. 뼈마디 쑤신 노동 사이사이, 그렇게 부르고 나면 속시원했던 노래. 요즘 세상에 나서 '귀천을 모르는' 제주 여자들은 이런 노래를 몰라도 되니 행복할까요.

"이여 이여 이여동허라/이여 이여 이여도 ᄀ래맷돌/산댕 허나 못산댕 허나산다고 하나 못 산다고 하나/붉은 양지얼굴 지미기미나 보라/말몰랑할말 못하고 삼년 살아나 산다/이여 이여 요 ᄀ래여 뱅뱅이 돈다/귀막앙 삼년 사난에귀막고 삼년 사니까 가랜 말도가라는 말도 어서 저라/이여 이여 이여도 ᄌ냑이나 붉밝은때허게저녁이나 밝은 때 하자/본대원래 ᄌ냑저녁 어둑는 집이/오널이옌오늘이라고 붉밝은 때 허랴…."

각시야 자자
밤중 새별이 산 넘어간다

강연순의 길쌈노래

"천상에서 놀던 각시가/세상으로 귀양을 왔더라오/배운단 게 질쌈이요/부르나니 베틀가라/명주 한 필 짜을라니/베틀 놀 데가 전혀 없어/좌우 한편 둘러보니/옥난간玉欄干이 비었구나/베 틀 놓세 베틀 놓세/옥난간에 베틀 놓세/낮에 짜면 일광단日光緞/ 밤에 짜면 월광단月光緞/옥난간에다 베틀 놓고/베틀 몸을 동여매 어/베틀 다리는 네 다리요/앞다릴랑 두 다릴랑/동東에 동창 배 겨 놓고/뒷다릴랑 두 다릴랑/남南에 남창 맞쳐 놓고/앉을개라 돋우 놓고/그 우에가 앉은 각시/허리 부테 두른 양은/절로 생긴 산지슭에/허리 안개 두른 것고/북 나드는 저 기상은/피징강도 건넌 기상/대동강도 건넌 기상/용두머리 우는 양은/조그마한 외기러기/벗을 잃고 슬피 우네/황새 같은 도투마리/청룡 황룡 이 여의주를 다투난가/달을 따서 안을 삼고/해를 따서 거죽을 삼고/삼태성의 끈을 달아/무지개로 선을 둘러/금자金尺를 갖다 대어/옥자玉尺로 재어 보니/서른 대자大尺로구나/청태산 구름 속 에/만학이 넘노난 듯/옥색 물을 반만 놓아/서울 가신 서방님/청 도포라 지어 보세/옷이라도 지어 보세…."

베틀 위에 혼자 앉아서 혼자 베틀질 하면서 부르던 노래. 최 명희 선생의 대하소설 『혼불』에 나오는 이 노래는 이십여 년 세 월을 혼자 베틀에 앉아 살아왔던 인월댁이 부르는 〈베틀가〉입 니다. 베틀, 무지막지한 여성 노동의 상징물입니다. 낮에는 논 밭에서 진땀 흘리고 집에 돌아오면 또 여성들의 일감이 기다리 고 있었지요. 밥을 해먹으려면 방아를 찧어야 했고, 옷을 입으 려면 길쌈을 해야 했던 시절의 일입니다. 뿐입니까. 물도 우물 에 가서 길어 와야 했고, 층층시하의 시부모 모시는 일이며 많 이도 낳았던 자식들 키우는 일까지, 여성들의 '노동 스펙'은 헤아리기 어려웠던 시절입니다.

고려말 문익점이 목화씨를 들여올 때만 해도 우리 민중들 사이에서 이불과 옷감을 만들어 입는다는 건 생각하지 못했던 일이었습니다. 나일론이 들어오기 전까지 길쌈의 고통에서 해방될 수 있으리라 생각한 사람들은 거의 없었겠지요. 나일론 혁명 이후 길쌈은 고통스럽고도 아득한 기억 저편의 노동양식이 되었습니다.

그러다가 2000년대 경남 진주시 금곡면 죽곡마을 아낙들을 길쌈의 추억으로 끌어들인 건 지방자치제였습니다. 각 지역마다 특색 있는 문화자원을 찾아내느라 골몰하면서 그 옛날 고통스러웠던 노동이 외부에 자랑스럽게 내세울 지역문화 브랜드가 된 것이지요. 전통 농업말고는 딱히 소득원이 없었던 농촌 할머니들에겐 전화위복이요 새옹지마가 된 셈입니다.

그래서 죽곡마을에 다시 길쌈 붐이 일어났습니다. 체험 프로그램을 만들고, 길쌈 전수관을 짓고, 잊혀져가는 길쌈 노동을 되살려 마을의 브랜드로 키워냈습니다. 길쌈 체험마을이 되면서 외지 손님들의 왕래가 많아졌습니다. 삼베 만드는 과정이 전시되어 있는 마을 전시관을 둘러보고, 할머니들이 길쌈을 해서 만드는 삼베를 보고 제작과정에 참여할 수도 있습니다. 이 마을 주민 강연순 씨1936~ 도 젊어서 고통스러웠던 길쌈을 오늘의 즐거운 소득원으로 재발견한 분입니다. "옛날에는 우리 가문이 조상을 많이 모셔. 뭐 종가집이라고 허더니 시어머니하고 내하고 길쌈해가지고 무명옷은 농포 한 벌씩이라도 설명절 되면 새것 해가지고 지어 입혀야 되거든요. 시어머니 시아버지만 하는 게 아니라 시댁 식구들 다 해입고 하니까 별 여유가 없었는데, 요즘은 뭐 틀에 찍고 뭐 옷을 만들 때도 그렇지. 옛날에는 손으로 한 땀 한 땀 꿰매 가지고 옷 지어 입었어요."

여자로 태어나면 열 살 무렵부터 어른들 틈에 끼어 길쌈을 배워야 했습니다. 옛날에는 육체노동을 많이 했기 때문에 해년마다 한두 벌씩 식구들의

옷을 마련해야 했고, 다산多産이 미덕인 농경사회인지라 식구들도 많았기 때문에 여자들은 길쌈에 매달리지 않을 수 없던 것입니다. 시집가서 길쌈을 못하면 친정이 욕먹었습니다. 그래서 딸을 시집보내는 친정엄마는 부덕婦德은 물론 숙련된 길쌈 솜씨까지 갖춰야 했지요. "우리 친정엄마가 야무져가지고 남의 집媤宅에 가면 길쌈 몬한다 이 소리가 최고 나쁘다는 인격이래요. 그래가지고 뭣이든지 몬한다 이 소리 안 듣게끔 뭣을 야무지게 가르쳤는가 봐요. 친정에서부터 (베틀질 할 때) 옆에 사람이 없으니까는 심심한께네 계속 이렇게 하다 볼라치면 노래도 나오고 뭐. 또 뭐 다른 생각도 해보고이."

전래민요는 바로 이렇게 지겹고 단조로운 노동의 틈을 메우는 데 필요했습니다. 역으로 말하자면, 고통과 인내를 요구하는 육체노동이 없었다면 우리 전래민요도 생명력이 훨씬 짧았겠지요. 1차 산업시대가 마감하고 지식정보화 시대가 되었어도 농촌 할머니한테서 구렁내 풀풀 나는 구식노래를 들을 수 있는 이유입니다. 고통스러운 시대를 지나왔지만 몸에 화인처럼 박혀 있는 기억을 갖고 있는 세대는 아직 다 잊어버리지 않은 것이지요.

길쌈은 삼을 심어서 실을 뽑고, 그 실로 베를 짜는 전 과정을 일컫습니다. 매년 3월경에 삼씨를 밭에 뿌려 7월경에 삼을 베는 것으로 시작해, 찌는 과정, 삼 껍질을 벗기는 과정, 섬유질의 결대로 가늘게 째는 과정, 가늘게 짼 삼실의 끝을 이어서 긴 삼실로 만드는 과정삼삼기, 베를 짜는 과정 등 이만저만 복잡한 게 아닙니다. 남자들은 삼밭을 갈아주고 삼이 다 자라면 베어다가 삼굿에 쪄서 껍질을 벗겨주는 일을 했습니다. 여성들은 그 이후의 전과정을 도맡았지요. 할머니들이 길쌈 얘기만 하면 "징그랍다"고 하는 이유입니다.

특히, 노래가 많은 과정은 '삼삼기'를 할 때였습니다. 줄곧 앉아서 하는 일인데다 똑같은 과정을 계속해서 반복해야 하기 때문에 지루하기 이를 데 없었지요. "김해 김삼 남해 남산 남산 가래/혼자 삼는 삼가래는 목감기가 일이더라/둘이 삼는 삼가래는 그네 뛰기 일이구나/서이 삼는 삼가래는 불티같이 날

아가고/한짓 두짓 실짓인가 열두 짓이 실짓이지…." 〈삼삼는 소리〉입니다.

아내들의 길고도 고된 노동은 임(남편)에게도 인내심을 요구했던 시절입니다. 논밭에서 하는 노동에 시달렸지만 밤이 되면 부부끼리 정다운 시간을 보내고 싶어 했던 것이지요. "각시야 자자 각시야 자자/밤중 새별이 산 넘어간다/여보 당신 지각 없소/밤중 새별 산 넘어가도/건삼 가래나 삼고나 잡시다…." 그렇구 헌다 아이요. 신랑은 그만 쪼개만 하고 자러 올끼지 했다 아이요. 그런 정으로 사는기라. 살기는 가난해도 그렇게 마음이 맞으니 행복한기라."

삼을 삼고 나면 베를 짜는 일을 해야 했습니다. 삼실을 물에 넣고 햇볕에 널어서 말립니다. 그 실을 베의 규격에 맞추어 실을 길게 늘여서 바디에 끼우고 도투마리에 매어 감습니다. 베틀 위에서 베를 짜는 일 역시 단순한 과정의 반복이지만, 삼삼는 과정에 비하면 훨씬 더 신경이 많이 쓰이고 정신집중을 요구했습니다. 또 집안에서 혼자 하는 일이었기 때문에 혼자 흥얼거리는 노래 형식이었습니다. 대체로 베틀의 구조와 형상을 묘사한 것입니다. "베틀 다리 사형제는 동서남북을 갈라놓고/앞을 제라 도듬에는 자두 용상에 앉은듯네/부태라 두른 양은 우리 오빠 과거 가서 과거운을 두른듯네/몰게라 차고 보니 북두칠성을 안은듯소/보두집 치는 소리 짹짹이가 우는듯소/부기라 나든 양은 옥매미 통영방에 나든듯네/잉애대는 삼형젠데 올올이도 갈라주고/눌기대는 홀아비라 한강이라 낚싯대던가/베기미라 하는 자는 싹싹 쓸는 맷돌인가…."

수년 전에 남편과 사별하고 호젓한 집에서 혼자 사십니다. 직접 쇠죽을 쑤어 소를 키우고, 채전에서 찬거리 키우고, 감 농사를 조금 짓습니다. 마당에는 삼삼기를 마친 삼실이 햇볕을 받고 있었습니다. 길쌈 노동의 재료들이 없었다면 집이 참 을씨년스럽겠다는 생각이 들었습니다. 진주 죽곡마을의 농한기는 길쌈이라는 과거의 고역이 새로운 용돈벌이로 탈바꿈한 게 참 잘된 듯합니다. 뿐입니까, 전래 길쌈으로 만들어낸 삼베가 옛 맛을 선사하지요, 잊혔던 옛 노래 구경하는 것도 괜찮은 맛입니다. 아는 사람만 그 맛을 알겠지만요.

형님 형님 그리 마오
뜨건 국에도 눈물났소

고봉순의 시집살이노래

"느그 딸처럼 부잣집에서 태어나서 호강스러운 한평생 살고 싶다…." 소원을 물으면 항상 비슷한 노모의 답입니다. 그 말에 담겨 있는 뜻을 헤아려야 '시집살이'의 본질에 접근할 수 있을 것입니다. 한번 시집가면 그 집 귀신이 되어야 했던, 이혼이 없었던 시절의 이야기. 시부모는 물론 못해도 두어 명의 시동생에, 시조부모가 계시기도 했던 층층시하에서 고작 20살 안팎의 새댁은 새벽같이 일어나 물 긷고, 밥 차려내고, 손빨래하고, 설거지하고, 밭일 나가고, 저녁에는 삼 삼고 베틀에 길쌈을 피할 수 없었습니다.

시집살이는 시집살이대로 하고 며느리한테는 시집살이도 시켜보지 못하는 '낀 세대'라고 푸념하는 그 며느리들이 이제 외로운 할머니들이 되었습니다. 전남 화순군 화순읍 벽라리 2구 고봉순 씨^{1935~}도 그런 할머니입니다. 단출한 집 하나 지키며 사는 할머니는 호박이며 고추며 따다가 시장에 내다파는 정도의 경제생활을 합니다. 손주 용돈 한푼 쥐어주는 낙으로 사는 것입니다. 며느리 시절과 지금의 할머니 시절을 '절대적' 기준으로 놓고 비교해보

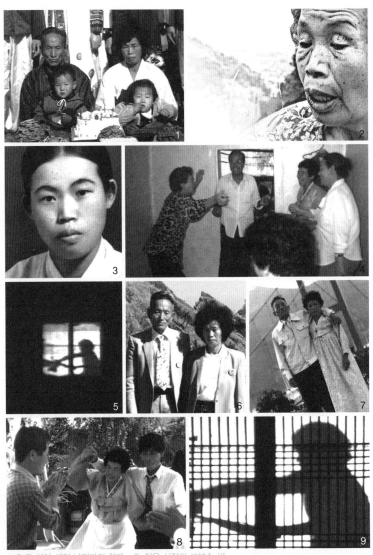

1. 6. 7. 살아 생전 남편과의 한때   3. 젊은 시절의 고봉순 씨
4. 8. 잔치판에서 한판 놀면서 시름을 날려보냈다.

면 참 좋아졌습니다. "시어머니 성격이 무서웠어요 겁나 무서웠어. 큰아들은 군인에 가버렸제, 영감님은 돌아가셔 버렸제, 인자 또 아들 잃어버렸제. 그렁께 시어머니가 쬐끔만 잘못해도 나만 야단치고 그랬는갑습디다. 나는 나대로 서럽지요. 잘한다고 하는디 맨날 뭣이라고 야단하고 배는 고프고. 잘못한 것은 야단하시고 그러더라도 배나 안 고프면 좀 낫겠는디 배고프제 춥제…."

노래 가사가 기막힙니다. 누가 지었는지 모르지만 참 '잘' 지었습니다. 시집살이 설움과 당대의 가정 경제, 갑甲의 위치에 있는 시댁 식구들과 을乙 처지인 친정 식구들 간의 말 못할 관계, 그리고 인간사의 갈등을 푸는 해법인 역지사지易地思之의 원리까지, 다 들어있습니다. "돔방돔방 떠가신 구름/우리 땅에 가신 구름/우리 땅에 가시거든 편지나 한 장 전해주소/편지라서 무슨 편지/동지섣달 설한풍에 맨발벗고 물 길은다고/ 신죽이나 보내라소/이삼사월 긴긴 해에 점심 굶고 베짠다고/쌀말이나 보내라소/울 아버님 들조시면 받으신 밥상을 밀쳐두고/대성통곡을 하실레라/울 어머니가 들으시면 업었던 손자를 내려놓고/대성통곡을 하실레라/우리 오빠 들으시면 보시던 책을 밀쳐두고/대성통곡을 하실레라/우리 형님이 들으시면 씻던 그릇을 잦쳐놓고/살강 다리를 마주잡고 궁뎅이춤만 추실레라/아랫방에 하인아야 어느 때나 되았는가/새우잠도 못 되았소/실러 가세 실러 가세 우리 동상 실러 가세/대문 앞에 들어서니 거둥 보소 거둥 보소/우리 형님 거둥 보소/까만 창은 어따가 두고 흰창으로 날만 보네/고초 같이도 매운 년아 반하같이도 독한 년아/너도 간께로 그러더냐 나도 온께로 그러더라/너도 삼년을 살어봤냐 나도 삼년 살고 났네/형님 형님 그리 마오 뜨건 국에도 눈물났소."

그보다 더한 시집살이를 겪었던 시어머니들은 대체로 그만한 고통을 며느리에게 물려주었던 모양입니다. 지금 70~80 할머니가 되어 있는 그 며느리들의 이야기에 인자한 시어머니는 거의 없습니다. 그 옛날 봉건시대의 고부姑婦 사이를 지금처럼 핵가족 시대의 관점에서 논하는 게 의미가 있을까 싶습니다. 호랑이 담배피던 시절 이야기거니 해야지요. 시집살이노래에 등 장하는 중요한 악역이 또 있습니다. 시누이입니다. "때리는 시어머니보다 말리는 시누이가 더 밉다" "시누 하나에 넷 쌈지다"는 속담이 만들어진 것 은 다 그만한 이유가 있었을 겁니다.

고봉순 여사의 다음 노래에도 어김없이 시누이가 악역 배우로 나옵니다. "서울 가서 베 바꿔다 제주 가서 물을 들여/하하 동동 다듬이에 이모 성줄 바 느질에/명지 호롱 난지 따라 홍애 삼사 동정 걸어/서리밭에 내놨다가 은대로 도 일을 마쳐/개자 하니 구김 지고 담자 하니 먼지 끼고/입자 헌들 몸때 묻고/ 횟대머리 걸어놓고 들명날명이나 볼랬더니/조그만한 시누애씨 품앗이 갔다 가 오시더니/적은 칼을 품에 품고 찢을라요 찢을라요/찢을랑은 찢소나만은 올발로나 찢어주소/올발로나 찢으랑께 올도 없이 다 찢었네/기결하소 기결하 소_{얻다처서 바로잡게 하다} 자네 동생 기결하소/부모있는 동기 간을 내가 어찌 기결 하리/자네 동생 기결 못하면 낮에 가도 밤난 거리 밤으로라도 내가 할라요~"

이런 노래는 다 구전_{口傳}이기 때문에 가창자_{歌唱者}의 첨삭이 이루어집니 다. 부르는 사람이 자기 것을 가미해서 부르다 보면 정말 이면_{裏面}과 딱 맞아 떨어지곤 합니다. 자기 이야기가 되는 것입니다. 고봉순 씨가 불러대는 노 래들이 다 그렇습니다. 징집영장을 받은 남편이 군대를 갔을 때 속으로 잘 됐다, 할 만큼 궁핍한 오막살이 살림이었습니다. 우리는 굶어도 군대간 당 신은 어쨌든 밥은 먹을 것 아니냐, 그 이유 때문이었습니다. "남편이 군대가 는 바람에 인자 우리는 벌어준 사람이 없응께 내가 대신 남의 일이라도 해 서 끼니라도 어떻게 해나갈랑께 우리는 힘들었는디 당신_{남편}은 그 순간이라 도 행복했겠다 그 말이여. 군인에 안 갔더라면 항상 일만 하고 고생만 할 것 인디 참 우리 영감이 그때는 행복했구나 그래. 나는 행복을 한번도 못 찾아 봤어. 시방 청춘을 돌려다오 그런 노래가 있잖아요, 근디 나는 청춘이 볼까 무서와. 징그러워서 돌아보기도 싫어…"

가난, 뼈에 사무치는 것이었습니다. 그 옛날과 지금을 절대 비교하면 집 한 채가 있으니 부자가 됐지만, 동네 사람들과 상대 비교를 하면 결코 나은 형편도 아닙니다. 평생 가난이 포한(抱恨)입니다. 노래 잘 부르는 것으로 궁핍했던 시절의 위안을 삼기도 했습니다. 낫 놓고 기역자를 쓸 줄 모르는 문맹이었지만 노래 하나는 잘 기억하고 잘 불렀습니다. "전부 어려서 배운 노래들인디, 하나도 글로도 안 배우고 말로 배운 노랜디 안 잊어부러. 시작만 하면 끝까지 쪽쪽 꿰겠어. 근디 시방 배운 노래는 하다가도 가사를 잊어버려도 모냐옛날에 배운 놈은 안 잊어부려져…."

달리 국악인(國樂人)이 아니지요. 밭에서 고추 따고 김매면서, 논에서 모심고 김매면서 부르던 노래가 국악이고 그런 노래 좔좔 꿰는 사람들이 국악인입니다. 노래가 참 많습니다. 노래에 깃든 정서도 비탄조(悲嘆調)가 두드러지구요. 일 안한다는 계모 말만 듣고 본처 아들들을 가해한 아버지의 이야기는 섬뜩하기까지 합니다. "서른 둘이 심군 논을 우리 성제형제 매라시네/서른 둘이 심군 논을 우리 형제 다 매갖고/지심풀 동당 띄워놓고 물꼬 동동 돌아놓고/정자나무 밑에 쉬느라고 쉬는 것이/무삼하난 잠이 들어/지모계모 오신 거동 보소/밥구리 이고 나오시더니/밥구리를 옆에 끼고 오던 길로 도상허네도로 가네/울 아버니 거동 보소/지모계모 말만 곧이 듣고/가래날을 들쳐메고 나오시더니/우리 형제 목을 씰어썰어/피는 대동강 흘려놓고/논이라고 둘러본께/서른 둘이 심군 논을 다면 성제 맺구나…."

맨몸이 노동력이었던 시대, 논밭에서 일하면서 노래하던 모습은 일상사였겠지만 이제 그런 풍경은 볼 수 없습니다. 뼈저린 가난과 고생담을 이야기하는 할머니들에게 "라면이라도 끓여먹지 그러셨어요?"라고 묻는 세상입니다. 입만 열면 줄줄줄 꿰는 그 시절의 절창(絕唱)이 구시대의 유물로 스러져가는 것이 다만 아쉬울 뿐입니다.

나는 당신집에
문서없는 종으로 왔구나

고상분의 시집살이노래

"지금 만약 부모님이 살아 계신다면, 당신은 정녕 행복한 사람이다. 두 분 중 한 분이라도 살아 계신다면, 이 또한 행복한 사람이다. 당신에겐 아직 기회가 남아 있으니까. 시간은 많지 않다. 뒤로 미루지 말고 바로 시작해야 한다. 더 늦기 전에. 언제 운명의 신이 부모님과 우리의 사이를 갈라놓을지 누구도 알지 못한다…." '고도원의 아침편지'를 운영하는 고도원 씨가 『부모님 살아 계실 때 꼭 해드려야 할 45가지』라는 책의 서문에서 하고 있는 말입니다.

경제위기 시대에는 사람들의 마음이 얼어붙어 '가족' 콘셉트의 마케팅을 하면 성공 가능성이 높나 봅니다. 1990년대 후반에 닥친 경제위기 때는 김정현의 『아버지』라는 책이 우리의 눈물샘을 자극했고, 2008년 후반부터는 신경숙의 『엄마를 부탁해』가 대박을 터뜨렸습니다. 관심분야가 다양해지는 현대사회에서 아버지나 어머니를 소재로 하는 문학이나 영화는 점차 상업적 성공을 거두기 힘든 게 사실인데, 의외의 일입니다. 독자들에게 '부모'라는 소재는 도시에서 자란 며느리가 푸세식 화장실이 있는 농촌 시댁을 가

1. 2. 궁핍했던 시절

야 하는 것처럼, 드러내놓고 표현할 수는 없지만 부담스러운 소재지요. 정말 감동적이거나 타이밍이 절묘하거나 하지 않으면 반갑지 않은 존재일 수도 있을 겁니다.

자식 입장에서는 물론 다릅니다. 특히 나이를 먹어갈수록 올챙이 적에 모르던 걸 알게 되는 개구리 심정이 됩니다. 보살핌만 받던 철부지가 가정을 갖고 자식을 키워보면서 부모 마음을 알게 됩니다. 알만 하면 부모님은 저 세상을 향해 저벅저벅 가고 계십니다. 그래서 수욕정이풍부지樹欲靜而風不止, 자욕양이친부대子欲養而親不待라는 말이 생겼겠지요. 뒤늦게 부모의 속을 알게 된 자식의 그리움이 그렇습니다.

부모는 어떻겠습니까. 물질이 넘쳐나는 현대사회, 많아야 자식 셋을 두고도 경쟁적으로 호사를 시키는데, 다섯 이상은 기본으로 낳았던 그 옛날 어머니들은 어떻게 키웠을까요. 물질적으로 빈곤했다고 해서 불행했다고 할 수 없듯이, 정신적으로 얼마나 강인하고 뜨거운 마음으로 자식을 키웠으리오. 그 시절의 고생담을 차분히 들어주기엔 우리의 눈이 약삭빠르고 귀가 너무 얇지요. 삶의 속도가 너무 빠르지요.

경남 함양군 안의면 황곡리에 사는 고상분 씨1935~. 굽이굽이 험한 길을 지나온 어머니입니다. 막내아이 젖먹는 걸 떼어놓고 큰아들 대학 공부시키려고 서울로 식모살이를 갔습니다. 서울서 식모 살면서 정성껏 뒷바라지해서 그 아들 대학공부를 가르쳤습니다. 그런데, 그 아들이 33세에 사고로 불귀의 객이 돼버렸습니다. "나도 죽어삘라고 밥도 굶어보고 다 했제. 안 죽어지데. 귀찮은기라 만사가. 그렁께 집구석이 다 무너져도 더러워도 겁도 안 나고. 비가 주룩주룩 오면 저 뒤안이 엉망이거든. 비가 새서 집이 팍 짜그러지면 나도 팍 죽어버리면 그만이지. 어서 죽으면 아들 볼랑가 싶어서 가고 잡고 그러지…" 참척慘慽을 본 어머니 마음이었습니다.

마을에서도 외진 데 자리 잡은 철판집. 세간살이 제대로 정리되지 않은 채 먼지 더벅더벅한 방. 누추한 느낌이 끼쳐오는 그 방에서 홀로 살면서 흥얼흥얼 나오는 〈타령〉으로 위안 삼으며 살고 있다는 어머니입니다. "당신은 우리집에 손님으로 왔건만은/이내 나는 당신집에 문서없는 종으로 왔구나/나도 죽어서 후세상에는/남자로 태어나 살아나 봐야지~." 여자 노릇이 얼마나 고통스러웠으면 어머니는 인터뷰 내내 '남자 타령'입니다. "난 다시 태어나도 남자로 태어나고 싶어. 여자로는 안하고 싶어. 남자로 태어나갖고 여자 열 데꼬 살아도 나는 남자로, 잘살 자신있어. 여자로 태어난 게 얼마나 억울하면 이런 소리 하겠노."

그 억울한 어머니에겐 노래가 있었습니다. 밭일 하면서, 집안일 하면서, 방안에 우두커니 앉아 있다가도 저 가슴 밑에서 스멀스멀 올라오는 노래. 그것으로 억울함도 달래보고, 고적감도 어루만져보고, 그리움도 잦추르고 그랬다고 합니다.

"불꽃같이 더운 날에/매꽃 같은 밭을 매어/한 골 매고 두 골을 매고/삼시 세 골을 매다 보니/패랭이 쓴 사람 썩 나서네/받아보소 받아보소/한 손으로 받은 편지/두 손으로 펴보니/아하 볼까 내일이야/모친 죽은 부고^{訃告}로다/머리 갈라 앞 제치고/신은 벗어 손에 들고/한 모랭이^{모퉁이} 돌아서니/까막까치가 진동하네/다섯 대문 썩 들어서니/노제^{路祭}만을 하는구나/오빠 오빠 울 오빠야/출가외인 딸이지만/하루 바삐 소리하믄^{소식 전하면}/부모 종신^{終身=임종} 나도 하지/아무리 출가외인 딸이라고/평생 도상^{道喪} 몬디다꼬^{못 보고}/어머님을 어느 데서/말 한마디 듣겠어요~." 〈시집살이노래〉

이 노래는 물론 구전^{口傳}을 거듭하면서 고상분 어머니한테까지 왔겠지만, 꼭 당신의 이야기처럼 윤색되어 있습니다. 그게 우리네 전래민요의 맛인 듯합니다. 스토리의 자기화自己化라고 해야겠지요.

"그게 끝이라. 노래는 그기 끝. 내가 시집을 갔는데 섣달에 결혼해갖고 정월달에 신랑이 군대를 가버렸어. 섣달에 결혼해갖고 정월달에… 고생 많이 했어 말도 몬해. (신랑이) 군대에서 5년 꼬박 살고 6년 만에 제대했당께 6년 만에… 그런 판에 시집살이를 하는데 막 친정어머니가 보고 싶은 기라. 보고 싶고 막 시집은 안 살믄 (좋겠다) 싶으제. (시부모들이) 배는 고픈데 일은 시켜싸코. 그래도 신랑이라도 좀 있으면 나은데 신랑은 군대 가고 없고 뭐. 혼자 누구한테 하소연할 데도 없고. 살라믄 기가 안 찼겠소? 신랑 군대 간 노래도 부르다가, 삼팔선 경계는 임 품 경계고, 우리집은 왜 이러냐고 그래 싸타가. 뭐 오만 지랄 다했지…."

지금 모습이 볼품없고 물짠듯 보인다고 속마음까지 그럴 리 없습니다. 수많은 시간들이 흘러갔지만 어머니 마음에는 잊히지 않은 화인으로 간직되나 봅니다. 먼저 보낸 아들 이야기를 하는 어머니 얼굴에 파리한 떨림이입니다. "지금도 우리 아들 친구들이 나보고 인사하면 하는 대로 눈물 나고, 안하고 가면 내 아들 없다고 인사 안하나 싶어 서운하고. 진짜 그래요. 우리 아들이 어머니 말이라카면 "나 그거 안해" 이카는 것을 본 적이 없어요. 지금이라도 나 죽는 것도 안 아깝고 암만 좋은 것도 눈에 안 비여. 그 좋은 자석도 쥑이고 사는데 더 좋은기 어딨어…."

이런 것이 어머니 마음인가 봅니다. 가난해서 줄 건 없었어도 마음이 그렇게도 극진하고 간곡했던 어머니. 일제강점기, 근대화, 산업화, 개발독재 시대를 농투성이로 헤쳐 온 이 땅의 어머니들 대부분이 그러시겠지요. 쭈글쭈글 주름진 얼굴에 까만 피부, 환자처럼 말라깽이 몸집을 한 어머니는 그대로 거기서 눌러 사실 모양입니다. 도시 가서 며느리 고생시키지 않고 〈시집살이노래〉에 기대어 사는 편이 마음 편할 테니까요.

언제나 임을 만나
긴 밤 짜릅게 샐고나

곽순경의 육자배기

〈육자배기〉 잘하는 첫소리꾼으로 진도 지산면 소포리 곽순경 씨를 뽑았습니다. 1번타자가 되기엔 젊은 나이^{1944~} 임에도 불구하고 곽씨를 꼽은 이유가 있습니다. 영상자료가 있어서였습니다. 지난 2004년 동료PD가 〈HD 영상기록 남도 재발견〉이라는 프로그램을 제작하던 중, 진도에서 벌어진 씻김굿과 상여소리를 화면에 담아놨던 것이지요. 텔레비전 프로그램에서 영상 자료란 라디오 FM 프로그램의 음악과 같은 것이고, 음식점의 식재료와 같은 것이지요. 특히, 웬만한 민속^{民俗}이란 민속은 해가 다르게 사라지고 있습니다. 백성들의 삶의 현장을 떠나버린 습속은 무대예술이라 해야지 민속이라 할 수 없는 것이지요. 그나마 21세기 세상에 원형성^{原形性}을 갖고 있는 민속을 찾으려면 씻김굿이나 상여^{喪輿} 나가는 것 정도인데, 이 또한 전통적 생활 모습이 상대적으로 더 많이 남아있는 진도나 신안 같은 데서나 가끔씩 볼 수 있습니다.

곽순경 씨가 남편을 여의고 씻김굿을 벌이고 상여를 태워 매장하는 모습

은 병원 영안실이나 장례식장이 생기기 전까지는 퍽 일상적인 문화였습니다. 희소성希少性, 지역방송에서 TV 다큐멘터리 소재가 된 근거입니다. 남들은 하지 않는 구식舊式을 택한 이유가 궁금했습니다. "살아서 항상 하는 말이 자기남편는 씻김굿 그런 것 하는 것 아주 쓸데없는 짓이라고 못하게 막 그러등만. 그래서 안할라고 그랬어. 안할라고 했는데 가만히 생각해 보니 사람이 한번 죽으면 다시 또 와서 가는 것도 아니고. 이제 마지막길인데 돈 쪼까 들여서 해주는 것이 좋겠다 라고 내가 뜬금없이 급하게 마음먹고…" 남들도 안하는 것인데 뭐, 돈도 제법 들 텐데 뭐, 그렇게 말면 남들에게 흉될 것도 없었습니다. 그런데 남편을 먼저 저 세상으로 보내는 아녀자 마음이 그게 아니었다는 것이지요. 이왕 보내주는 것, 마음에 한줌 아쉬움없이 보내주자, 그래서 했습니다. 마뜩치 않아하던 자식들도 엄연한 당사자였던 엄마의 뜻을 따라 "엄마 하고 싶은 대로 하게" 해줬습니다.

남편 상여 나가는 길에 〈흥타령〉을 부르는 부인의 모습은 생경하고도 신선한 충격이었습니다. 하염없이 눈물 흘리며 슬퍼하기만 하는 모습이 아니라 노래를 부르다니.

"우리 엄매 먼저 먼저 보내드리고/당신이 가셨으면/내가 얼마나 좋을소냐/당신은 가면은~/모든 것을 다 잊어불고/활발하니 가져갖고/하늘 나라 올라가서/우리 우리 자식들을/활발하게 잘 살게 도와주시오~."

즉흥으로 나오는 '라이브'였습니다. 마이크를 건네는 마을 사람들이나, 건네받은 마이크를 뿌리치지 않고 즉흥 추모곡을 부르는 사람이나 "진도 사람들은 저런 면모가 있구나" 싶었습니다.

마을 사람들은 지금도 곽씨와 돌아가신 지아비^{남원순씨}를 금실^{琴瑟}좋은 '잉꼬 부부'로 기억했습니다. "아주 잉꼬 부부였어. 그렇게 사이가 좋을 수가 없었제. 그러니까 굉장히 형님한테 사랑을 받고 살았어. 그라고 형님하고 나이 차이도 6살 차이가 되니까 아주 형님이 사랑스럽게 여기면서…." 이웃 조열환 씨의 눈에는 그렇게 보였겠지만 당사자의 이야기는 좀 달랐습니다. 남들 눈에 보이는 걱정과 진짜 속걱정이 따로 있듯이, 당사자끼리의 사정은 남들 눈에 보이지 않는 것이 있게 마련입니다. "넘^남은 우리가 그렇게 쌈하고 산지 몰라. 우리는 날마다 쌈을 하고 살았지만은 넘이 생각할 때는 겁나게 의좋은 부부로 소문이 났지… 노름을 잘했어 우리집 양반이. 화투를 많이 치고 댕겼어. 하루 저녁에 1,500만원도 날렸어. 그런 때는 모도 심고 탈곡기로 나락치고 그럴 때여. 그란디 그렇게 나락을 많이씩 하고 사람을 사서 모심고 나락 수확하고 그렇게 많이씩 할 땐디 제까^{노름}해서 다 줘불고. 그런 때 정신 차렸으면 부자 부자 왕부자였겠지. 그란디 정신을 못 차리고. 그란께 맨날 싸우고 그랬지 막. 그 애쓰고 해가지고 하루저녁에 털어바쳐불고 하는디 얼마나 속이 상하겠어…."

진도가 육지로 편입되기 전만 해도 목포와 진도를 드나드는 포구였던 마을. 이 마을 남정네들은 농사와 함께 염전鹽田에서 일을 했기 때문에 한번씩 목돈을 만지곤 했습니다. 그런 날은 어김없이 술판이 벌어지고 노름판이 벌어졌던 거지요. 술 거나하게 취해서 집에 들어오면 각시들 패는 남자들이 흔했던 시절입니다. 금실 좋은 부부라 주먹질을 하지 않았지만 뼈빠지게 농사지은 곡식을 하룻밤에 털어바칠 만큼 큰 노름을 해댔던 남편. 싸움을 안할래야 안할 수가 없었습니다. 요즘 식으로 말하자면 주식 투자로 몇 억을 날린 꼴입니다. 하루하루 일해서 벌어먹고 사는 처지, 어떤 아녀자가 그러려니 하고 받아들였으리요.

그렇게 속 끓이고 살았지만 진도 사람은 진도 사람입니다. 그런 울화鬱火를 풀고 사는 토양이 진도였고, 그런 재주를 갖게 된 것도 진도에서 태어나고 자랐기 때문이었습니다. 친정 부모도 시부모도 소리 선생이었습니다. 앞혀놓고 가르쳐주는 선생이 아니라 살면서 보여주는 교사였습니다. "우리 시어머니가 시아버님 돌아가시고 한 십여 년 살다가 돌아가셨네. 근디 아버님 돌아가신께 우리 어머님이 어찌나 설워설워서 우는지, 그냥 들에 갔다오면 흥그래 노래를 그렇게 불러싸. 뭔 노랜지도 모른디, 영감 보고 싶다는 노래로 들리더라고. 노래도 잘 불렀었어 우리 시어머니가. 목청이 좋아가지고 노래를 부르면 그렇게 슬프게 잘 불러. 그런 때는 내가 젊었응게 몰랐는디 인자 지내놓고 본께 우리 어머님이 엄청나게 외로웠던 거 같애. 그런 때만 해도 우리는 젊고 또 자식들이 있고 그란게 같이 살면 되는디, 어머님은 홀로 되셔갖고 얼마나 외로웠으까. 그런게 그렇게 노래를 불르셨던가 봐. 사람들이 있으면 안 불르는데 혼자 계시면 그렇게 흥그래 노래를 불러."

이제 그 젊은 아낙이 시어머니의 속을 알게 됐습니다. 한바탕 불러대고

1. 남편 상여 나갈 때 〈흥타령〉을 부르는 모습   2. 남편 상여 앞에서   3. 결혼사진
4. 층층시하 시댁 가족사진   5. 8. 남편의 씻김굿 장면

곽순경의 육자배기   73

나면 속이 좀 시원해지는 것, 그 노래맛을 알게 된 것입니다. 그리고, 어울려 사는 마을에도 그걸 잘하는 사람들도 많았습니다. 풍물, 들노래, 다구질소리와 같은 공동체노래, 강강술래, 상여소리, 씻김굿, 흥그래타령, 아리랑타령, 육자배기와 흥타령 같은 긴 소리, 흥겨운 것도 있었고 알싸한 슬픔의노래도 있었습니다. 현대인들이 노래방에서 바락바락 소락대기를 지르면서마음속 먹구름을 쏟아버리듯, 옛날 진도 사람들도 그런 좋은 노래 자원을갖고 놀면서 거짓말처럼 슬픔도 노여움도 풀어냈던 것입니다.

기회를 주지 않으면 서운해 했을지도 모르겠습니다. 굿치고, 노래하고, 강강술래 뛰고, 그런 것이 크나큰 낙인데 말입니다. "그런 것이 낙이요. 그런게 외로울 시간이 없어. 그라고 산게. 그런 것도 안한다 하면 진짜 외로웁겠어. 그런데도 안 댕기고 일만 하고 산다 하면은 우울증 올 거 같애. 그런데 나댕기고 가면 막 진도 사방에 여러 부락 사람들이 모이제. 국악, 농악, 강강술래 그런 거. 그런 사람들 한번씩 만나면 서로 왔는가, 왔소, 하면서얼마나 반갑게 하고 재밌지. 그런 낙으로 살아요." 남편을 떠나보내고, 자식들은 도시에서 살고, 종일 밭에서 논에서 일하고 돌아오면 홀로 끼니를 해결하고 사는 것이 고역입니다. 몸속에 쌓인 독소나 땀을 몸 밖으로 빼내야병이 오지 않듯, 이 진도 아낙의 출구 역시 노래였던 것입니다.

〈육자배기〉에는 "가창자歌唱者가 직접 저 가사를 만든 것 아닐까" 싶게 전라도 어른들의 애환을 잘 표현한 가사들이 많습니다. '전라도 어른' 이라 하는 것은 이 노래가 전라도 민중들이 불러온 '육자배기토리' 의 민요이고, 기교로 부르는 게 아니라 살아낸 세월로 깊은 맛을 내는 민요이기 때문에 하는 말입니다. 여섯 박의 진양조, 한 곡을 다 부르려면 2분 남짓 걸리는 그 느림 속에 사람의 애간장을 다 녹인 것이지요. 밤에 혼자 있으면 절로 나오는〈육자배기〉한 대목을 청했습니다.

"추야장~/밤도 길더라~/남도 이리~ 밤이 긴가~/밤이야~/길까만~/임이 없는 탓이로구나~/언제나~/알뜰한~/임을 만나서~/긴 밤 짜룹게~/샐 고나헤~."

혼자서 밭일 하고, 널따란 방에서 혼자 밥먹고, 혼자 TV 보고, 혼자 생각하다, 혼자 잠드는, 이 독거 여인의 속내가 〈육자배기〉의 가사에 어쩜 그렇게 딱 들어맞는지요.

생애담을 여쭙다 보면 즐거운 기억 대신 고통스러운 이야기를 자꾸 끄집어내게 됩니다. 뭐가 제일 힘드셨어요, 그 힘든 고비는 어떻게 넘기셨어요, 지금 힘드신 건 뭔가요, 뭐 이런 물음입니다. 지금이 힘들수록 마음 저 밑바닥의 답을 어렵지 않게 들을 수 있습니다. "그라제, (남편이) 아파 누워 있어도 살아만 있다면 좋지. 혼자 사는 사람을 보는 넘들 눈이 그렇고. 내가 조금 뭐해도 (동네에서) 말이 맨들어지고. 혼자 사는 사람은 옷만 조금 곱게 입어도 저 여자 이상하더라, 바람났는가 어쨌는가. 옷만 그라고 입어도 그라드라, 이런 식으로 말을 하고. 그런 것이 조금 못마땅하고…"'병자病者로 누워만 있어도 없는 것과는 비교할 수 없다'는 배우자를 여읜 지 5년이 지났습니다. 아무리 세상을 오래산 할머니라도 남편과 함께 사는 상황이라면 그 속내를 알 수 없는 정한情恨이 깊답니다. 오늘 하루도 혼자서 길게 보내야 하는 진도 민초에게 〈육자배기〉가 영양제임을 확신한다면, 그리 억지스러운 얘기도 아닐 듯합니다.

한숨은 쉬어서 동남풍 되고요
눈물은 흘러서 대동강 되노라

권추분의 서사민요

　　노인들이 많은 시골마을에 가보면 할머니들 얼굴을 식별하기 어려울 때가 많습니다. 그 얼굴이 그 얼굴 같습니다. 주름진 얼굴, 퍼머 머리, 구부정한 허리, 수수한 옷차림…이 정도의 공통점을 갖고 있는 분들이 많아서일 겁니다. 외양이 그렇게 어슷비슷한 것은 평생 '농사'라는 같은 일을 하면서 살아왔기 때문일지도 모릅니다. 도시인들이 늙으면 그렇게 될 것 같지 않습니다. 색깔로 치자면 시골 노인들은 담담한 흑백같고, 도시 노인들은 보라색 분홍색으로 알록달록하달까요.

　　그런데, 당신들의 내면세계를 탐색해 보고 나면 여간 다른 게 아닙니다. 이렇게 다양할 수가 있나, 이렇게 다를 수가 있나, 하는 생각이 절로 듭니다. 뭐, 가난한 시절에 태어나 먹고사느라 아등바등하다가 늘그막을 외롭게 보내고 있다는 점에서는 다를 바가 없겠지만 그 굽이굽이에 겪은 내용들에 현미경을 대보면 같을 수가 없습니다. 70세 되신 분도 할머니고 80세 드신 분도 같은 할머니 같지만, 그 분이 겪은 한국 근대사와 가족사는 아주 다른 것입니다. 같이 경로당에 있다고 해서 같은 노인이 아닌 겁니다.

노래쟁이 노인들을 찾아다니는 프로그램을 제작하다 보니 노래의 장르로 소리꾼을 구별해 보는 버릇이 생겼습니다. 〈동백 아가씨〉는 이미자 노래고 〈돌아와요 부산항에〉는 조용필 노래, 〈난 알아요〉는 서태지 노래임을 누구도 의심하지 않습니다. 그러나 구식노래는 주인이 없습니다. 천하에 널린 것이 노래요, 일하면서 이 사람 입에서 저 사람 입으로 자유롭게 유통되던 것이지요. 그러니 주인이 따로 없습니다. 주우면 내 것입니다. 엄청난 용량을 갖고 있기 때문에 주인 노릇을 잘하면 자기 것이 되는 원리지요.

경상남도 산청군 신안면 안봉마을에 살고있는 권추분 씨^{1934~} 도 용량이 커서 자기 몫을 보유한 분입니다. 무심코 지나가다 보면 전형적인 시골 할머니처럼 생기셨습니다. 이름도 기억하기 좋구요. 할머니의 노래론^論은 물 흐르듯 자연스럽고 쉽습니다.

"진주야 남강에 물실러 갑시다/물은 실어다 중천에 놓고서/건너 산천 처다보니 한숨이 나온다/한숨은 쉬어서 동남풍 되고요/눈물은 흘러서 대동강 되노라."

흥얼거리시고는 "그기^{그게} 노래라. 옛날에는 그런 기 노래라. 옛날에는 시어매가 숭악해서 (며느리가) 살기가 힘들어. 요새 노래에 대면 옛날 노래는 노래도 아니라. 얄궂은 이전 소리라 그렇지…" "앞동산 봄 춘^春자요/ 뒷동산에는 푸를 청^靑자/ 가지가지 꽃 화^化자요/ 굽이굽이는 내 천^川자라/ 아가 동자야 술 가득 부어라/ 마실 음^飮자가 취경주라…" "인자 많이 먹고 나면 취한다 아이요. 그기^{그게} 노래고… 옛날에 쪼깐했을 적에 다 배웠어. 일곱여덟 살 때 이웃 이모 할매들이 불러싸서 알아. 옛날에 삼 삼으면서 부르고 미영^{목화솜} 잣음서도 부르고. 또 그거 배울라고 저 사람들이 부르면, 여기서 부

1, 3. 남편 생존했을 때 행복했던 모습   2. 군대에서 몸이 다쳐온 남편

르고 가면 내일 아침에 자고 나면 살살 생각이 싹 다 나." 시집오기 전 처녀 시절 할머니들이 밤새 삼 삼고 베틀짜면서 심심풀이로 부르던 노래를 주워 들었다는 말씀이었습니다. 밤에 하는 일이 좀 길었을까요. 그래서인지 노래 종류도 무궁무진입니다. 할머니들한테 들은 것, 언니들에게 들은 것, 모두 주인없이 떠돌던 것들이 권추분 할머니의 머릿속에 저장되어 권추분의 지적 재산이 됐습니다. 〈해방가〉나 〈돈타령〉은 당대의 유행가였던 듯합니다.

"1945년도 8월 15일 해방되니/거리거리 만세 소리요/문전문전에 태극기라/서울 장안에 들어간께/삼천만의 민족이 다 모였네/북망산천이 얼마나 먼고/우리집에 우리 부모 한번 간께 못 오시네/신작로 바닥에 잔자갈이/왕박이 되면 오실랑가/뒷동산에 고목나무에/꽃잎이 피면 오실랑가/병풍에라 그렸던 닭이/활개를 치면 오실랑가/옹솥에라 앉힌 장닭/활개치면은 오신다디~." "일전이라 하는 돈은 일로 든 장이 일 전^{以前}이요/이전이라 하는 것은 할아버지 때가 이전^{以前}이요/삼전이라 하는 돈은 삼장골 골목이 삼전이요/사전이라 하는 돈은 만주사변이 사전이요/오전이라 하는 돈은 열두 시 전이 오전이요/육전이라 하는 돈은 소고기전이 육전이요…."

남들이 하던 것에 살짝 자기 생각을 덧붙인 이런 창작품도 있습니다.

"산지조종^{山之祖宗}은 곤륜산^{崑崙山}이요/수지조종^{水之祖宗}은 황하수^{黃河水}라/민지조정^{民之祖宗}은 박정흰데/박정희는 정치도 잘해/골짝골짝에 전기 넣고/또랑마다 다리도 놓고/골목집에도 시멘칠 하니/택시 비행기 왕래한께/우리 백성이 살기 좋다~."

박정희 전대통령 시절을 그리워하신답니다. 이렇게 흘러다녔던 노래들이 이제 1934년생, 늘그막에 노래 흥얼거리는 맛으로 사신다는 권추분 할머니의 브랜드가 됐습니다.

기억력이 좋은 어머니를 닮아 자제들도 대처에서 좋은 직업 갖고 산답니다. 하지만 이 할머니의 젊은 시절은 가난해서 힘들기도 했지만 온살림을 혼자 도맡아 하느라 말할 수 없이 고단했습니다. "섣달에 시집왔는데 (남편이) 이월 열하룻날 군대 갔어. 날짜로 치면 두달이 안돼. 이월 열하룻날 군대를 가가지고 음력으로 구월 열여드렛날 삼팔선에서 총을 맞아서 발을 다쳐왔어." 키가 껑중하게 큰 헌장부 남편은 6·25전쟁 때 다리를 다쳐 오신 뒤로 농사일에 보탬이 안됐습니다. 안팎일이 할머니 차지가 됐지요. "남편은 발이 시원찮아 놓은께네 (땅에) 디디면 자빠져싸. 양잠을 했는데 할배는 짐을 못 진께네 내가 그거를 여다 날라. 잠 한 시간밖에 못 잤지. 밤새도록 누에 똥 개리고 밥주고 그거 하느라고…."

지금은 그 할아버지도 저 세상 먼저 간 지 10년 넘었습니다. 집에서 키우는 개 한 마리가 할머니의 벗입니다. 쓸쓸한 노년, 허름한 시골집에서 손바닥만 한 밭뙈기 부쳐먹으며 살고 있습니다. 늘그막에 돌이켜보면 아쉬움 투성이신가 봅니다. "요새는 참 때늦은 후회라 때늦은 후회. 청춘 홍안아 네자랑 말아라 덧없는 세월에 백발이 왔다. 인자 백발이 와서…." 시냇물 흘러가듯 줄줄줄 흘러나오는 할머니의 노래. 정처 없는 나그네처럼 허공을 맴돕니다.

입의 정이 좋다 한들
자석의 정리를 띠고 간가

김금순의 밭노래

"아람차고 장찬 밭이/묏과 같이 짓었으니^{풀이 무성하게 자랐으니}/우리 서로 밭을 매세/못다 맬 밭 다 맬라다/잊었구야 잊었구야/금봉채^{머리에 꽂는 비녀}를 잊었구야/해 닳아지고 달 닳아지고/연에 연잎이 수그러져서/집이라고 들어오니/시금시금 시어머니/옷감 비어 내침시로/뉘비 돔방에 지으라네/섶 뉘비고 짓^깃 뉘비고/소매 두 동 다 뉘비고/안 걸었네 안 걸었네/동정 고름을 안 걸었네/승^흉이라소 숭이라소/글로만 잡고 숭이라요/내가 살아서 뭣을 헐게/주렁강에나 들어가서/졸복^{복어} 한나를 낚어다가/짚불에나 구워먹고/잠든 듯이 죽어보세"

8음절씩 똑똑 떨어지는 시^詩처럼 읽혀지는 이 글은 시집 사는 젊은 며느리의 일상을 묘사한 노래입니다. 오후 한나절 무성하게 잡초가 자란 밭을 혼자 매는 고적함, 열심히 밭을 맸는데 머리에 꽂는 귀한 비녀를 잃어버린 황망함, 해가 저물도록 밭일을 마치고 집에 돌아와보니 시어머니가 고생했다는 소리는 않고 옷감을 내던지며 누비옷을 지으라고 닦달하는 모습, 죽어라고 옷을 만들어 냈더니 동정 고름을 안 걸었다고 흠을 잡는 시어머니에게 짓눌린 모습, 이런저런 고통스러움을 못 견뎌 차라리 죽어버렸으면 좋겠다는 절망감··· 노래를 듣다 보면 눈에 선연하게 펼쳐지듯 회화적인 느낌입니다. 죽더라도 졸복 하나를 낚아 구워먹고 죽겠다는 표현이 처연한 느낌마저 줍니다.

젊은 사람들이야 이런 노래를 들으면 "에이 비현실적이고 구식텍텍 먹은 이야기로구만" 하면서 고개를 돌릴 수 있지만, 이것이야말로 '나의 노래'라고 받아들일 분들이 있습니다. 전남 화순군 도암면 도장리 마을회관에서 만나는 60~70대의 여성들. 지금 생존해 있으면 80대 후반~90대일 그네들의 시어머니들이 절절하게 부르던 노래입니다. 실제로 밭매면서, 집안일 하면서 불렀던 그 노래들을 며느리들이 이어받았습니다. "우리 클 때 보면은 어머니들이 바느질 함시로 이렇게 흥그래타령 노래를 불러싸시데요. 찬찬히 들어보고 '아 저것이 신세타령 노래다' 그러고 클 때 들었지요. 근디 우리가 벌써 그 시대가 와부렀어···" 이 마을에서 노래깨나 한다는 분들이 작고하신 뒤로 어느덧 대표 소리꾼이 된 김금순 씨^{1940~}의 말입니다.

"고개 중에서 보릿고개가 제일 높다", "가난한 집 신주 굶듯", "가난한 집 족보 자랑하기", "가난하면 마음에 도둑이 든다", "같이 다니는 거지들은 동냥 못한다", "거렁뱅이도 밤이면 꿈에 부마^{駙馬} 노릇도 한다" 등등의 속담을 보면 '가난'이라는 게 구식 세상의 키워드였음을 알 만합니다. 모두가 보릿고개 넘기를 버거워했던 대가족 시대였지만, 논이라고는 눈을 씻고 찾아도 구경하기 어려웠던 이 궁벽진 마을의 처지는 좀더 극심했습니다. "워낙 농토가 없어갖고 도장리로 시집을 온 양반들은 고생하제. 어디 들이 있어야제. 그래도 농토가 어느 정도 돼야 자녀들 교육시키는 것도 지장이 없고 근디, 워낙 농토들이 작아갖고 손으로 발로 벌어갖고 먹고 살아···"(김강례 씨) "도암면이 오지역^{奧地域}인디 그 중에 도장리는 젤로 오지역이여. 영판 가난한 데

2. 6. 7. 9. 화순 도암면 도장리 할머니들의 옛 모습
4. 민속경연대회에서 〈화순 밭노래〉 공연모습
5. 8. 지금도 마을회관에서 공동체문화를 지켜가는 마을 사람들
1. 10. 고단했던 옛 할머니들의 가사노동

여. 나는 친정에서 클 때 배도 안 고프고 살고 그랬는디. 여기 시집와서는 가마니 짜서 저 (나주) 남평까지 지고 다니면서 팔고. 그리고 길쌈해서 삼베 팔아서 생활하고 그랬어. 우리 시집오기 전에는 진짜로 곤란했다고 그러등마. 쌀 한 되 팔면 뭐 나물 캐다가 죽을 쒀서, 빤닥빤닥하니 나물죽을 쒀서, 쌀 한 되 갖고 일주일을 살고 그랬다고 하데요…"(김금순 씨)

1940년에 태어나 이제 70줄에 앉은 김금순 어머니가 이랬다는데, 그 앞 세대는 어떻게 살았겠느냐는 이야깁니다. 가난뱅이 토민(土民)들의 실상을 미루어 짐작만 할 뿐이지요. "거지도 바가지 장단 멋으로 산다"고 했는데 옛날에는 옛날 노래맛으로 고통을 토로하고 풀면서 살았던 것입니다. 가난에 짓눌렸던 만큼인지 이 마을에 남아있는 노래도 서사미가 있고 서정적 깊이도 있습니다. "한 재 넘어 한각고야/두 재 넘어 지충개야/겉잎 같은 울 어머니/속잎 같은 나를 두고/임의 정이 좋다 한들/자석(子息)의 정리를 띠고 간가/어매 어매 우리 어매/요내 나는 죽어지면/잔등잔등 넘어가서/양지발로 묻어놓고/비가 오면 덮어주고/눈이 오면 씰어주소…." 이 노래는 아마 재가(再嫁)하는 어머니를 붙잡는 딸이 가창자인 듯합니다.

서유석 씨가 불러 대중가요로 널리 알려진 〈타박네야〉의 원형도 이 마을 어머니들에게서 들을 수 있습니다. "따박따박 따박네야/무엇을 보려고 울고 가냐/울 어머니 산소에로 젖을 먹자 울고 가네/울 어머니 산소에는 접시꽃도 너울너울/울 아버지 산소에는 함박꽃도 방실방실/그 꽃 한 쌍 끊글라니 눈물 받쳐 못 끊겄네/눈물 닦고 끊글라니 눈물 닦고도 못 끊겄네/뗏장문이 문이라면 열고 닫고 내 못헐게/산질(山길)이라 질이라면 오고 가고 내 못헐게/뒷동산에 올라가서 어매 하고 불러보니/울 어매는 간 곳 없고 억만수라 바우 속에/뫼산이가 대답허네…." 가만 듣고 있으면 슬픔이 차오르는, 참 한국적인 정한이 잘 스며있는 노래입니다.

"지금은 돌아가신 양반들이, 지금 살아계시면 90살 그라고 먹은 사람들이 (그런 노래를) 했제. 그 양반들 다 돌아가시고…." "(노래를 들으면) 눈물이 나와. 인자는 들어싼게 괜찮한디. 몇 번 할 적에는 아이고 어쩌면 저런 노래가 저렇고 (실제 생활과) 딱 맞어갓고 눈물 나오게 할끄나 그래…." 가난했던 옛시절의 유물이 이제는 마을의 문화자원이 됐습니다. 가창력 좋고 똑똑한 한 사람이 부르는 독창이 아니라 마을 부녀회를 중심으로 누구나 같이 부를 수 있는 노래가 됐지요. 민속경연대회나 지역축제에 곧잘 공연을 하러 다닐 정도입니다. 그래서 화순군에서는 '민요마을'이라는 이름까지 붙여서 '문화 특구'로 보호하고 있습니다.

　물질적 가치관이 세상을 뒤덮어가는 시대에 이 마을 양반들과 한나절을 보내면서 행복의 기준을 다시 생각해보게 됩니다. 빈천貧賤의 유산이 부귀영화까지는 아니더라도 공동체적 자긍심이나 행복감을 보장해 줄 수는 있다는 것, 김금순 씨와 마을 여성들은 옛노래로 말하고 있는 듯했습니다. 처연한 느낌이던 중머리 장단의 서사민요들이 〈감태산〉에 이르니 흥겨운 자진모리 장단으로 어우러지며 노래부르는 사람들을 흥으로 몰아넣습니다.

　"감태산 감태산 육자배기도 감태산/늘늘이 밥묵고 날날이 잠자고 나무하러 가세/감태산 감태산 육자배기도 감태산/뭔 장이나 되았는가 중장이나 되았네/감태산 감태산 육자배기도 감태산/뭔 장이나 되았는가 파장이나 되았네/감태산 감태산 육자배기도 감태산/오두랑 또두랑 땅바지 질게 잡어서 곤바지/감태산 감태산 육자배기도 감태산/잔두락밭에 바늘 잃고 바늘 찾기도 난감해/감태산 감태산 육자배기도 감태산/물팍 밑에 골무 놓고 골무 찾기도 난감해/감태산 감태산 육자배기도 감태산/치매에다 가새 싸고 가새 찾기도 난감해/감태산 감태산 육자배기도 감태산/난감해 난감해 날과 같이도 난감해/감태산 감태산 육자배기도 감태산…."

나도 죽어서 저승가서
남자 한번 되어갖고

김효점의 시집살이노래

보통 어른들에게 개인사를 물으면 "내가 살아온 이야기를 소설로 쓰면 몇 권은 될 것"이라는 말들을 합니다. '고생'이라는 한마디로는 그 전부를 표현할 수 없는 삶. 내가 그 삶을 살았더라면 어땠을까, 한번쯤 대입해 보게 되는 이야기. 비교의 대상을 80대쯤으로 잡으면 이야기는 또 달라질 것입니다. 80줄에 들어선 노인이 살았던 시대는 지금보다 훨씬 더 사회적 제약이 많았던 시절이기 때문에 호롱불을 떠올리며 접근해야 할 이유입니다.

김효점 할머니. 1929년 경남 남해에서 태어났습니다. 흔히 논의가 지엽적인 방향으로 흐를 때 쓰는 말 "삼천포로 빠진다"고 할 때 나오는 그 삼천포^{지금의 사천시}로 시집을 왔습니다. 지금은 남해대교로 이어져 있지만 그때만 해도 배로 왕래하던 길. 김 할머니가 17세 때인 1945년, 일본이 태평양 전쟁을 일으키며 제국주의로 치달아가면서 식민지 한반도 여성들을 무자비하게 끌고 가던 시점이었습니다. 이른바 '공출'을 피해 서둘러 짝을 맞춰 보내던 시절, 가냘픈 처녀는 남해군 바로 옆의 섬 늑도^{현 사천시 늑도동}에서 새댁으로

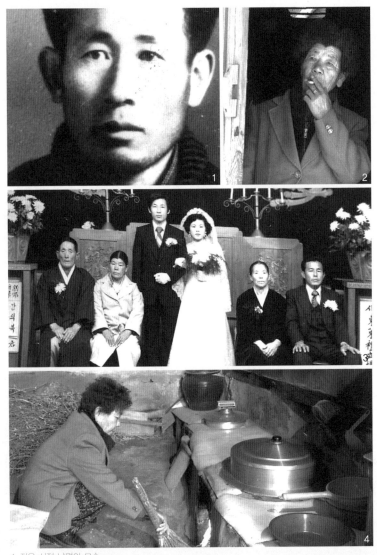

1. 젊은 시절 남편의 모습

새 인생을 시작합니다.

기구하다는 말은 이럴 때 쓰라고 있는 것이던가. 인물 좋고, 신부를 위해 줬던 젊은 서방님은 세 아이를 남기고 요절하고 말았습니다. 거기다 두 아이도 돌림병으로 먼저 세상을 뜨고 말았습니다. 의학기술이 고도로 발달한 요즘 세상에도 신종플루가 맹위를 떨치는데 전근대시대인 1940~1950년대에는 어땠을까 싶습니다. 돌림병이 창궐했다 하면 속수무책이었을 시대, 어떻게 손도 써보지 못하고 자식을 먼저 저 세상으로 보내야 했던 부모의 비통한 심정. 참척慘慽을 본 부모는 자식이 목에 턱 걸려서 평생 잊지 못한다고 하지요.

거기에 자식 잃은 시부모는 서방 잃은 며느리에게 관대하지 않았습니다. 가는귀 먹은 시어머니는 시어머니대로, '봉애눈' 가진 시아버지는 시아버지대로 며느리에게 시집살이를 시켰습니다. "시어매는 가는귀가 먹어갖고^{귀가} 잘 안들려서 말을 해도 몬 알아듣고 자꾸 또 묻고 물을제. 시아배는 기생시켜 갖고 술을 묵고 오믄 강짜를 내두르제. 우리 시아배가 호랭이 같아 갖고 그 비위 맞출라고 참 내 안해본 게 없다. 안해본 게 없어. 괴기^{고기} 낚으러 안 댕겼나 갯벌에 안 댕겼나 산에 나무하러 안 갔나 밭을 안 맸나, 안해본 게 없어. 시방 사람들은 그리 살라코하믄 하나또 살 사람 없다. 하나또 살 사람없어. 서방도 죽고 없는디 그런 시집을 이렇게 살아나왔다…"

구전口傳이기 때문에 선대先代의 이야기겠지만 할머니가 부른 노래는 무서운 시부모 아래서 시집살던 당신의 이야기를 그대로 하는 것 같습니다. "시집이라고 가논께는/시집간 사흘 만에/참깨 닷 말^{다섯 말} 들깨 닷 말/두 닷 말^{열 말}로 볶고 난께/양동우^{양동이}도 벌어지고/양가매^{가마솥}도 벌어진다/시어머니 거동을 봐라/종지코로 흘짝임서/봉애눈^{붕어눈}을 부리뜸서/곰배폴^팔로 찔 쑥임서/잠다리로 베틀 침서/아강아강 며늘아강/느그 집에 자주 가서/쇠비 쟁기를 다 폴아도/양가매 양동우 사오너라…" 막 시집간 새댁이 부엌에서 저지른 실수 때문에 처절하게 당하는 것입니다. 요즘 어떤 발라드나 댄스가요의 가사가 있어 이처럼 리얼한 서사민요의 가사로 표현할 수 있을까 싶습니다. 시어머니의 거동을 표현하는 묘사들—종지코로 홀짝임서, 봉애눈을 부리뜸서, 곰배폴로 찔쑥임서, 잠다리로 베틀 침서—이 무척 세밀하고 회화적이지 않습니까.

새댁을 안타까이 여긴 마을 할매들은 "아이고 아이고 이 문둥아 금마(새)서방 찾아 가삐라"며 재혼을 권했습니다. 앞이 보이지 않는 불행 앞에서 흔들리는 그녀를 잡은 것은 유일한 혈육 막내아들이었습니다. 이웃 할머니들이 하는 소리를 들은 어린 아들은 엄마에게 매달렸습니다. "어무니. 어무니가 저를 버리지 않으시면 어떻게든지 잘 모시고 살겠십니더." 그렇게 매달리는 어린 자식을 뿌리칠 수 없어서, 험난한 시대를 홀몸으로 견뎌냈습니다. 이제는 50대의 장성한 중년이 된 그 외아들의 힘으로 살아온 인생이었습니다.

살아보니 여자로 태어난 것이 평생 한^恨이셨던 모양입니다. 다시 태어난다면 남자로 한번 생겨나서 한세상 살고 싶다십니다. 노래로도 말합니다.

"이모 서답^{빨래} 이내 서답/오복조복 담아 이고/진주 남강 머릿물에/사대 삼강 깊은 물에/옥지돌로 마주 놓고/오리나무 짝방마치^{방망이}/우덩텅텅 찧그라니/이 서답을 얼른 찧고/임을 찾아서 내 갈라네/우리 임의 거동을 봐라/기생 잡년을 품에 품고/넘본 듯이 누웠구나/어라 집을 돌아가서/아프다고 편지를 한께/얼음 가운데 수달피^{수달가죽}나/남시밭^{채소밭}의 맹아대^{약용채소}나/그 약 써서 안 되거든/내 댕기는 길에다가/비^{빗자루}로 써서 주오리다/나도 죽어서 저승 가서/남자 한번 되어갖고/처음부터 생길라네…"(〈시집살이노래〉 중).

고해^{苦海}를 사는 인간에게 신이 내린 최고의 선물은 '망각'이라고 합니

다. 파도치는 바다를 여러 차례 넘어선 할머니의 인생항로는 이제 잔잔한 바다 위에 있는 것 같습니다. 지나온 것은 몸서리쳐지지만, 다 지나버린 일이니 말입니다. "세월이 약이고 그만. 다시 태어난다면 남자가 한번 되어갖고, 내도 남자가 한번 되어갖고, 장개를 들어갖고 한번 살아봤으면 싶다…" 담배 피우는 할머니들을 이따금씩 보는데, 김 할머니처럼 담배 피워 무는 모습이 느낌 있는 영상으로 찍힌 경우가 많지 않았던 것 같습니다. 세월이라는 약으로, 오직 한 가지 외아들과의 상호의존으로 견뎌낸 평생. 지금도 하나 만들면 5천원하는 주낙 바구니 만드는 일을 게을리하지 않으며 사는 할머니. 생존이란 그토록 집요하고도 끈덕진 것임을, 노인은 몸으로 말하고 있었습니다.

여보시오 세상 사람들
이내 한풀이 들어 보소

안성단의 흥그래타령

2010년 초, 삶을 마감하는 사람들이 하는 후회에 대한 글이 사람들의 마음을 잡았습니다. 일본에서 1,000명의 죽음을 지켜본 호스피스 전문가가 쓴 『죽을 때 후회하는 스물 다섯 가지』. 저자 오츠 슈이치 씨는 말합니다. "인간은 후회를 먹고 사는 생물이다. 환자들은 숨을 거두는 마지막 순간에 자신의 인생을 돌아보며 회한을 품는다. 누구나 후회한다. 그러나 후회의 정도에는 사람마다 큰 차이가 있다. 당연한 이야기지만, 내일 죽을지도 모른다고 생각하며 살아온 사람은 후회가 적다. 죽음을 염두에 둔 사람은 삶이 유한하다는 사실을 알고 열심히 살아간다. 하루하루 최선을 다하며 순간순간 스쳐지나가는 인연을 소중히 여기면서…."

밑지고 판다는 장사꾼의 말, 시집가기 싫다는 처녀들의 말, 얼른 죽고 싶다는 노인들의 말을 3대 거짓말이라고 합니다. 암투병 끝에 작고하신 선친께서도 비슷한 말씀을 하셨습니다. "나이든 사람들은 좀처럼 자결을 하지 않는다. 젊었을 때나 충동적으로 자살을 저지르고 하지 노인들은 하루하루

를 귀하게 여기기 때문에 웬만해서는 스스로 목숨을 끊지 않는다." 고관대
작에서 저잣거리의 필부필부에 이르기까지 살아있는 모든 사람들에게 하루
하루의 삶이란 그렇게 존엄한 것입니다.

　80세를 훌쩍 넘기고 농촌에서 외로이 살아가는 한 할머니도 물리적으로
피할 수 없는 것임을 잘 인식하고 있었습니다. 죽음이 가까워 온다는 것, 그
래서 지금의 삶이 소중한다는 것, 지나왔던 시절이 소록소록 떠올라 후회해
봐도 소용없다는 것, 혹시 죽음 너머에 새로운 생生이 있다면 호강 한번 누
려보고 싶다는 것. 진도 임회면 남동리 안성단 씨1927~ 이야기입니다. "어쩌
지, 죽을 일을 생각하니까 너무나 세상도 쬐끔 산 것 같고 너무나도 허망하
고. 나보다 13살이나 나이 많은 남편을 만나서 그런가 후회스럽소. 제가 소
끌고 댕김서 쟁기질까지 다 했는 걸요. 한압씨남편가 못하니까. 무지한 세상
살았어요. 세상 사람들이 남녀간에 흡족하게 살았다 그런 분이 몇이나 되겠
어요. 다 그렇게 후회가 있제. 미련이 있고 후회가 있고…."

　소리 잘하는 사람 많기로 전국에서 으뜸인 진도. 그 바닥에서도 안성단
할머니의 '흥그래'는 알아주는 종목입니다. 할머니들이 혼자서 일을 하거
나 소일하면서 흥얼거리며 부르는 신세타령류의 토속소리를 흥그래타령흥
글타령이라 일컫습니다. 흥얼흥얼거린다고 해서 붙여진 이름인데, 나이 드신
분들이면 누구나 할 줄 아는 건 아닙니다. 꺾는 목, 떠는 목, 평으로 뻗어서
내는 목 등 육자배기토리의 맛을 잘 살려야 제 맛이 나는 게 흥그래타령이
기 때문이지요. 가사는 살아온 인생 이야기 그대로요, 음조音調는 굽이굽이
맺힌 한이 실타래처럼 한올한올 풀려나오는 느낌의 것입니다.

　"신식 사람들은 흥그래를 못합니다." 할머니가 이처럼 단호하게 말하는
이유인즉슨, 이 소리가 살아온 생애의 축적물이라는 뜻입니다. 축적된 아픔
만큼 삭아서 나오는 발효물醱酵物이라는 것이지요. 가만 듣고만 있어도 알
수 없는 설움이 스며드는 할머니들의 인생노래. 듣는 사람을 그 자리에서 꼼

짝 못하게 하는 노래, 그것이 '흥그래'입니다. 듣고 보니 그렇습니다. 〈육자배기〉〈흥타령〉이 진도소리의 표본이 되면서 60대 어머니들 중에서도 그 소리를 곧잘 부르는 걸 본 적이 있지만 〈흥그래타령〉을 잘 부르는 이는 흔치 않았던 것 같습니다.

안성단 할머니는 진도대교가 생기기 훨씬 이전, 1927년 진도 본섬에서도 머나먼 낙도落島에서 8남매의 막내로 태어났습니다. 그것도 아버지가 돌아가신 뒤에 유복자遺腹子로 태어났습니다. 뭍으로 옮겨와 김발에 바닷일에 거친 노동으로 유년기를 보냈고, 일본이 제국죽의적 성향을 노골적으로 드러내던 1940년대 일본군 위안부 공출을 피하려고 13세나 많은 남편에게 후처後妻로 시집갔습니다. 거기에 '7개 마을에서 소문날 정도'로 호된 시어머니 시집살이를 당했습니다. 마을 샘가에 엎드려 울다가 울다가 숱한 밤을 보내기도 했답니다. 그런 기억들이 그대로 노래 가사가 되었습니다. "여보시오 세상 사람들/이내 한풀이 들어보소/나는 나는 안태 고향이/푸른 바다 물 가운데 낙도에서 태어났소그려~/그 낙도에서 삼겨날生겨날 때/불쌍하신 우리 어머니/팔남매 막둥이로 나를 낳아서 기를 때에/얼마나 복 없으면 유복자로 태어나서/그 세상 그 시절은/옷도 없고 밥도 없는 세상일 때/엄매 엄매 우리 엄매/뭣을 하자 저를 낳아서/설리설리 길러내서/남의 가문에 보냈던가/시집살이 되다더니/이리 될 줄은 몰랐네그려~."

흔히 "내 인생을 소설로 쓰면 몇 권"이라고 말합니다. 그 말을 〈흥그래타령〉에 적용하면 "내 인생을 흥그래로 부르면 몇 시간"이라고 해야 합니다. 그만큼 길다는 뜻이기도 하고, 할 말이 많다는 뜻이기도 하지요. 굵직굵직한 남성들의 표현과 달리 골골샅샅이 섬세한 여성들의 표현이니 얼마나 하고 싶은 말이 많겠습니까. 한 30여 분 부르다가 쉬고, 또 30여 분 부르다가 쉬고 하는 식입니다. 시집살이 한탄으로 접어든 할머니의 흥그래는 계속됩니다. "아이고 어머니 시집살이가 너무 되어서 못 산다고/오빠들 보고 말씀을 드리면~/출가외인 딸자식이/남의 가문에 가 못 살면은/형제간이 말문이 맥힌다 하기에/뼈가 녹도록 살아갔소/7개 부락 8개 부락에서 소문나고 가문난 시집살이/안성단이가 해여냈소/어쩧게를 살았던지 그때 일을 생각허면/가슴에 한이 차고/누구 보고 다 말할까/옛날 그 때 우물가는 들 가운데 샘이 었소/집에 (물)동우 질다보면/배도 고프고 기력도 없고/샘갓에 엎더져서/흐느끼며 울음을 울다 보면/중천에 높이 솟아/밝은 달은 우물에 비치거늘/달을 보고 하는 말이/달아 달아 밝은 달아/너는 천지를 다 비치고/우리 엄매 보련만은/밤중밤중 야밤중에/샘갓에서 엎더져 우는 나는/무슨 이것이 세상이냐/달아 달아 말좀 해여/울다 보면 밤중이 넘어지고/집이라고 와서 보니/첫닭이 울었소그려~."

한 개인의 생애사로 치부해 버리기엔 아까운 표현력을 느낍니다. 시어머니가 갑ㅂ이고 며느리가 을ㄹ이라면 늘 을ㄹ의 위치에 서야 했던 시절의 이야기가 구구절절합니다. 우리 할매들은 고된 시집살이를 겪으면서도 저렇게 예술적으로 뒷담화를 했구나, 생각해보게 됩니다. 시부모에게 호된 야단을 맞으면 그 설움에, 금실 좋았던 남편이 먼저 세상을 뜨면 그 설움에, 자식을 먼저 저 세상 보내면 그 아픔에, 고통스러운 삶의 갈피갈피마다 '흥그래'를 해댔던 할머니.

그 뛰어난 창조력과 문화적 감성을 가진 세대가 인생의 황혼에 서있습니다. 돌아가신 부모님을 부르며. "설리설리 살다본께/아까운 내 청춘 어디 가고/인제인제 남은 것이 백발만 남어/곱던 얼굴 어디 가고/주름살만 남어 있고/세상 사람들 부모같이 중한 몸은/태산에도 못 비한다오/부모에다 이제라도 효도하소/부모같이 중한 몸이 천지에 또 있을까/세상 천지를 다 댕겨도/한번 가면 부모 걸음이래도 못 보겠습디다…."

1. 3. 젊은 시절 농사짓던 모습
6. 7. 일제 강점기 공출을 피해 결혼했던 안성단 할머니

아리 동개동 스리 정들자
아라리 환장이로세

임영자의 유희요

요즘에야 연륙교^{連陸橋}가 생기면서 섬개발이 되고 관광지가 됐지만 전남 신안하면 낙도^{落島}나 오지^{奧地} 이미지가 먼저 떠오릅니다. 지금도 목포에서 출발하면 철부선으로 2시간이 걸리는 먼 거리, 그 옛날에는 육지로부터 머나먼 고도^{孤島}. 그 섬에서 살아가는 사람들 역시 인근 섬사람들과 통혼^{通婚}하며 살았을 것입니다. 서로서로 몸을 기대고 나지막히 앉은 집들, 너울너울 바람에 흔들리는 천연색의 시금치밭, 흙담장이 서로 어깨를 걸고있는 정다운 풍경… 여기에도 일제시대가 지나갔을까, 6·25가 있었을까, 5·18때는 어땠을까, 그런 궁금증을 불러일으키는 호젓한 섬나라. 임영자 씨^{1937~} 가 살고 있는 신안 도초면 고란리의 풍경은 그렇게, 문명^{文明}이전의 조건을 담고 있는 듯했습니다.

임영자 씨는 남편이 실종되어 사망 처리되고, 큰아들이 사고로 단명하는 불행을 겪었습니다. 남편 여읜 슬픔보다는 참척^{慘慽}을 본 아들을 평생 잊을 수 없다고, 시시때때로 떠오르는 망자^{亡子} 생각에 모성^{母性}은 지금도 부어 있는 상처부위처럼 늘 민감하다고 했습니다. 농사일은 물론, 남자들도 하기 힘들다는 새우잡이 뱃일, 바닷일을 억척스럽게도 했습니다. 권위적인 가부장 치하에서 억눌린 생애의 고통도 깊었습니다. 물론 남들도 "옛날에는 다 고생하며 살았지" 하겠지만 지금도 푼돈이라고 만지려고 겨울이면 인근 김공장에서 다리 뻐근한 노동을 마다하지 않습니다.

김대중 전대통령의 고향 하의도^{신안군 하의면}가 탯자리입니다. 1004의 섬으로 불리는 신안, 지금도 하의도와 도초도는 뱃길로 다녀야 하는 곳이니 같은 신안땅이라 해도 친정은 가까운 곳이 아닙니다. 섬에서 평생을 살아온 여인의 생활력은 억척스럽기 그지없고, 내면에 담긴 문화는 무척 토속적입니다. 우리가 잃어버린 옛날이 저러했을까 싶게, 어디서 들도보도 못한 희한한 노래들을 많이 기억하고 있었습니다. 마을 사람들 누구나 인정하는 소리꾼. 같이 들일을 나가면 즐거움을 주는 동료로 자리매김해왔습니다. "근력도 씨고^{세고} 일도 잘하고 노래도 잘 부르고 그란다요. 장구랑 막 치고 하라

하면 잘해라우" "저 분이랑 같이 일 안하면은 일하는 것이 맛이 안나요. 그랑께 (마을 분들이) 꼭 저 양반하고 같이 일하려고 했제라우."

어머니는 어려서 깔¹비고 소 뜯기러 다니면서 주워들은 노래들이라 했습니다. 섬에서 어른들로부터 전해오는 것들, 옛날엔 흔하디 흔해빠진 그런 게 방송 카메라가 찾으러오는 전통문화가 되고 그리운 옛것이 됐습니다. 농사를 맨몸으로 했을 때는 노래의 시대였으련만 이제 노래는 좀처럼 나올 일이 없습니다. 신식 딴따라에 자리를 내줬지만 그렇다고 옛적 노래가 진짜 우리 것이었다는 사실까지 부정할 순 없는 노릇입니다. "옛날에는 들에만 가면 노래 부르고 살기 곤궁하면 노래 부르고 그랬제라. 가난한께. 깔비고²산에 가서 나무함서 노래 부르고 들에 가 깔빔스로 노래부르고 그랬제라. 전에는 재밌제라. 전에는 재밌어요. 모하면 못소리하고 춤치고 그랬던 시절이 재밌었제…"

이³에게 피를 뜯겨본 기억을 가진 세대라야 무슨 뜻인 줄 아는 노래. 〈이타령〉이라는 노래가 있습니다. "이야 이야 옷천이야/니 주둥이가 쫑긋하면/말 한자리를 전해봤냐/니야 발이 여섯이걸랑 강남 한번을 갔다왔냐/니 복창에 먹 있거든 편지 한 장을 전해봤냐/니 등거리 넓적하면/만리장성 긴 담을 쌀 때 독돌 한댕이를 전해봤냐/얼씨구나 똥땅 절씨구나 똥땅 건방진 마음에다 유관썼네…"

유희요遊戲謠로 분류되는 이 할머니의 레퍼토리 가운데 압권은 〈장모타령〉입니다. 온몸뚱어리를 바쳐서 장모님의 은덕을 칭송하자는 내용입니다.

"대가리⁴는 짤라서 축구장에다가 폴드래도⁵/장모님 은혜를 갚읍세다/귀는 띠어서⁶ 전화통에다가 폴드래도/장모님 은혜를 갚읍세다/눈은 빼서 전기촉으로 폴드래도/장모님 은혜를 갚읍세다/이빨은 빼서 바둑판에다가 폴드래도/장모님 은혜를 갚읍세다/셋바닥⁷은 빼서 쟁기 개알탕으로 폴드래도/장모님 은혜를 갚읍세다/손은 짤라 물방맹이로 폴드래도/장

모님 은혜를 갚읍세다/뱃가죽은 벗겨벗겨 장구껍딱껍질으로 폴드래도/장모님
은혜를 갚읍세다/창사구창자는 빼서 생여상여 대체줄로 폴드래도/장모님 은
혜를 갚읍세다/한가지남성 성기는 띠어 쇠말뚝으로 폴드래도/장모님 은혜를
갚읍세다/또 한가지불알는 띠어 저울추로 폴드래도/장모님 은혜를 갚읍세다
/못 갚겠네 못 갚겠네 장모님 은혜를 못 갚겠네…."

　웃기는 노래들을 많이 알고 잘 부르는 것과 이 할머니의 개인사는 많이
달랐습니다. 먼저 뱃일 나갔다 사고로 실종된 남편 이야깁니다. "우리 어른
남편은 실종돼부렀어. 배타고 나가서 안 들어와부렀어. 저 목포 해양경찰대
배가 (남편 시신을 찾으려고) 5일 돌고 헬리콥터가 5일 돌고, 가까운 데는 배
빌려가꼬 우리가 사흘 돌고 그래서도 못 찾았어." 식구 줄줄이 달린 대가족,
가부장의 한마디가 집안을 지배하던 시절이었습니다. 술 먹고 집에 들어오
면 주먹질을 예사로 했던 남편이 한둘 아니었던 시절, 지금도 남편이란 말
보단 '어른'이라고 해야 당시의 위상을 표현하기에 적합한 존재. 할머니의
남편 역시 다르지 않았습니다. 주먹질 당하며 죽어라 일했고, 눈물바람 하
면서 아이들 키우고 살아왔습니다.

　'어른'은 무섭고 권위적이었지만 집안의 큰일과 경영을 책임진 존재였습
니다. 어른의 갑작스런 실종과 부재 이후, 가족들의 노동 강도는 훨씬 높아
졌습니다. 농사는 농사대로 힘겨웠고 바다일도 보통 고된 게 아니었습니다.
옛날 손김을 했습니다. 손으로 매서 손으로 떠서 널고, 그물 쳐서 새우 잡는
일도 하러 다녔습니다. 밤낮없이 물때 따라 하루에 두 번씩 바다로 쫓아다니
며 하는 억센 노동이었습니다. 그 억센 노동 사이에 또다른 아픔이 있었습니
다. 큰아들이 사고로 요절한 것입니다. "인자도 자식은 죽으면 가슴에다 묻
는다고, 인자도 못 잊어부러요. 인자도 꼼 해가꼬 꼼 해가꼬 머릿속에가 그
것만 들어가꼬 있제. 인자도. 어른남편 죽은 것은 머릿속에가 안 들었는디 새
끼 죽은 것은 머릿속에가 들어가꼬 있제 항상… 어른남편은 놈남이라 그랑가

2. 김공장에서 일하는 모습　3. 마을에서 볍씨 모종하는 모습　4. 고사리 캐러 가는 길

잊어불고 머릿속에 안 들었는디, 자식은 머릿속에 들어가꼬… 징합드라고라…" 태산泰山같은 기대를 가졌던 아들, 바라보고만 있어도 자랑스러운 생때같은 아들이었답니다. 죽을 때까지 멍으로 남은 아픔이라 했습니다.

　남들에게 들려주고 싶은 노래는 유희遊戱의 냄새가 나는 것이었지만, 정말 부르고 싶은 노래는 그런 게 아니었던 듯했습니다. 고사리 캐러 간 뒷산에 털석 주저앉아 부른 자탄自歎의 노래는 화선지의 먹물처럼 스며듭니다. "시집 간 지 삼년 만에/서방님이 병이 났네/오늘이나 어쨀란가/내일이나 어쨀란가/병은 우야 점차 흩어지고/어른 아기 잠들여놓고/병든 가장을 뉘여놓고/

약방으로 급히 가서/쌍태선을 부어다가/연탄숯에 불을 일워/앉아 울다 엎어져 울다/무정한 놈의 잠이 들어/낭군 가신 줄을 내 몰랐네/아가 아가 우지마라/너의 신세 좋을람사라/삼칠일 안에 의친을 잃고/나의 팔자가 좋을람사라/이십 안에 낭군 잃어/이팔 청춘 젊은 몸이/낭군 그리고는 못 살겄네…." 개인사를 알고 들으니 이게 이 할머니의 진짜 노래일 듯싶습니다.

〈아리랑타령〉도 내륙지방에서 귀에 닳게 들었던 것과는 사뭇 다릅니다. 궁핍했던 시절의 냄새가 물큰물큰 피어오릅니다. 섬사람들은 노래도 이렇게 요리해서 불렀나 보다 싶게 노랫말에서는 짙은 한국의 된장 맛이 납니다. 후렴은 또 얼마나 창의적인지요. "중신애비 죽으면 두름박에다가 담아서/한갈쿠로 마개 막어서 시궁창에다가 묻잔다/**아리 동개동 스리 정들자 아라리 환장이로세/아리랑 섬나라 물결도 출렁**/된장국 간장국 보리 보리밥 묵어도/대학생 아내가 되고되고 싶어요/**아리 동개동 스리 정들자 아라리 환장이로세/아리랑 섬나라 물결도 출렁**/중학생 대학생 방안에 책상/만년필 글귀가 아리찰찰 나온다/**아리 동개동 스리 정들자 아라리 환장이로세/아리랑 섬나라 물결도 출렁**…."

우리의 기억 속에서 사라짐으로써 희귀종稀貴種의 위상을 얻은 동식물들. 그들이 신안 도초면 고란리에 사는 한 노래쟁이 할머니의 기억 속에는 생생한 현재로 살아있다는 것도 흥미롭기만 합니다. "굼벵아 굼벵아/정신 정신 차려라/길로 길로 가다가/돈 한 잎을 주워서/주막이라고 들어가/떡 한 잎을 사가지고/돌아보니 친구로세/먹고 보니 요기로다"〈굼벵이타령〉 "병이 났네 병이 났네/뻘떡게 사촌이 병이 났네/쫄장기게한테로 묻거리를 가니/운저리는 피리를 불고/꼽사리는 넋 올리고/장기 둠벙에 짱뚱이는 신기해서 재주넘고/원둑 너머 화랑기게는 좋아서 춤을 추고/돌트막에 비틀이대사리는 웃음을 웃다가 홱 돌아간다…."

찔깡잘깡 바디집아
삐듯빼듯 쇠꼬리야

전금순의 길쌈노래

'엄마'라는 케케묵은 소재로 베스트셀러 반열에 오른 소설이 있었습니다. 신경숙 작가의 『엄마를 부탁해』는 치매 걸린 엄마를 찾기 위해 자식들이 벌이는 좌충우돌, 그 과정에서 엄마가 겪은 희생과 고통을 실감나게 드러냈지요. "요즘 세상에선 거의 멸종 위기에 처한 희귀종 소설이다. 피붙이 식구들의 끈끈한 정을 이렇듯 절절하고 아름답게 그려낼 작가가 오늘날 몇이나 될까. 더구나 세련된 현대작가가 '눈물없이 못 읽을' 장편을 써낼 엄두조차 내기가 쉬운 일이 아니다"라는 어느 평론가의 말에 퍽 공감했습니다. 부모 노릇을 하면 할수록 옛날 엄마, 그 당신만큼 살아내기 어렵다는 생각을 합니다.

이 나라 구석구석에서 농사짓고 살아온 할머니들치고 『엄마를 부탁해』 속의 엄마같지 않은 이가 있으리요. 그런 엄마 가운데 한 분, '한산 세모시'의 고장 충남 서천군 한산면 동산리에 사는 전금순 씨^{1939~} 얘기를 해보려 합니다. 시집오기 전까지만 해도 '집에서 물떠서 밥 한번 안해봤던 처녀'였습니다. 21살, 시집오면서 고된 인생이 문을 열었습니다. "처음에 시집을 오고 본게 식구가 열두 식구대요. 아이고 세상에 시숙 어른네 식구가 애들까지 해서 여섯, 어른까지 해서 여덟 식구. 시동생 둘 있지, 열두 식구가 아니라 열세 식구네. 시어머니 계시지, 그렇게 대식구예요. 나는 부모는 다 똑같은 줄 알았는디, 우리 친정어머니 품에 살다가 시어머니를 본게 너무 무섭고, 동서도 무섭고, 다 무서워. 의지하고 살 사람은 남편 하나잖아요."

21살 새댁이 시집왔을 때가 1959년이니, 동족상잔의 전쟁 끝난 지 6년 되던 해입니다. 전사회적으로 도탄지고塗炭之苦에 허덕일 때, 어느 농촌 여염집 아낙도 행복이라고는 누릴 수 없었던 시절입니다. 어머니의 개인사는 층층시하라는 구조적 모순뿐만 아니었습니다. 믿고 의지할 유일한 언덕, 남편의 존재는 또다른 아픔을 안겨줬습니다. "그 시절에는 부모님 말씀만 듣고서 (혼사를) 그냥 따른 거였지. 신랑이 어떻게 생긴지, 귀머거리인지 뭣인지 알 수가 있나요. 모르지. 그랬더니 자기 남편가 술 한잔 먹은 김에 '내 다리를 봐 보라' 고 그러면서 이렇게 다리를 내밀드라고요. 다리가 어북 제대로 힘쓸 기운을 뜻하는 듯이 없어요. 다리가 한짝이 어북이 없응게, 힘이 없응게 걸을라믄 다리가 이렇게 좀 짜심짜심 했는디 내가 그걸 몰랐지. 유심히 안 봤지…" 부모의 뜻대로 한 혼사는 물릴 수 없는 기왕지사既往之事였습니다. 지금처럼 이혼은 꿈도 못 꿀 전근대 시대, 이보다 더한 불운이 쌔고쌨던 시절입니다. 전금순 씨는 억척스러운 일꾼이 되기로 마음을 바꿔먹어야 했습니다.

충청도 서천 한산면 하면 '세모시' 의 고장으로 알려져 있듯, 근동에서 태어나면 어려서부터 으레 모시를 배웠습니다. 요즘에야 특산품으로 지역 브랜드가 되었지만, 그 옛날에는 농사와 함께 생계를 위해 하던 일이었습니다. "여남은 살 먹어서부터 이것을 배웠어요. 모시를요. 어른들한테 배울 때요. 친구들이랑 다 한방에 앉아서 모시를 재밌게 했어요."(이순옥, 마을주민) "그때는 모시 짜는 색시가 제일 잘 배웠다고. 길쌈 잘하고 하는 며느리들을 고른게 그것 가르치느라 친정 부모들이 다 가르쳤죠."(서봉희, 마을주민) 친정 부모가 고생을 시키진 않은 편이었지만, 전금순 씨도 모시는 당연히 배워야 했던 일이었습니다. "우리 식구는 모시 짤지도 모르는디. 그저 남의 집이 쏙쏙이 다니면서 혼나감서 엄마 오빠야한테 혼나감서, 놈의 집에 다님서 모시 배운다고. 그래도 재밌었어요 혼나감서 짜도."

그때 그 처녀 적 길쌈하면서 듣던 노래들이 귀에 쏙쏙 들어오더랍니다. 똑같이 듣고 배웠어도 총기있는 사람은 따로 있는 모양입니다. 전금순 씨는 그 많은 가사를 줄줄줄 외웁니다. 거미 똥구멍에서 거미줄 나오듯 하지요.

"추야공산 긴긴 밤을/짠지 바탕 마주 보며/서울 임을 줄 것인가/오동잎이 우거질 때/강골 낭군 줄 것인가/편지 왔네 편지 왔네/강남 낭군 편지 왔네/한손으로 받아들고/두손으로 펼쳐보니/시앗 죽은 편지여라/옳다 그년 잘 죽었다/고기 반찬 그리더니/소금 반찬 꼬습구나/꾸리꾸리 모시 꾸리/박

3. 4. 5. 결혼 전후의 전금순 씨   6. 7. 민속경연에서 공연모습

달나무 쇠망친가/오미 상근 감긴 뿌리/삼천리를 열 번 간다…"

추야장천 기나긴 밤, 졸린 눈 부벼가며 일하던 시절. 피로도 달래볼 겸, 심심풀이로 부르던 노래. 그 지독했던 가난의 산물입니다. "그 전에는 모시 한 필, 째서 삼아서 식구들이 여러 식구 돼야 한 20일, 한달이나 해야 모시 한 필 할 거야. 그 한 필 해가지고 시장에 나가면, 많이 받으면 쌀 두 말 팔아서 먹고 살았어요. 모시 가는 놈 좋은 놈이 그랴. 그러니 사람이 여남은 식구가 어떻게 살았겠어요. 모두 먹고 살랑게. 그만치 어려웠지…" 유형의 것이었다면 진즉 골동품 가게나 고물상으로 갔을 것, 무형의 것으로 남아서 뒤늦게 빛을 보게 되었습니다. 충청남도 무형문화재로 지정된 것입니다. 한쪽 다리 못쓰는 남편 대신 논밭일 해가면서, 시부모 받들어 가면서, 결혼 앞둔 딸을 교통사고로 먼저 저세상 보낸 아픔도 견뎌가면서 살아온 인생, 늦으막에 받은 영광의 선물이었습니다.

원래는 한밤중에 방이나 마루에서 일하면서 부르던 노랫말인데 재미있고 리듬감있게 바뀌었습니다. 앞뒷소리로 여럿이 짝을 이뤄 부르기도 합니다. 공연용으로 짠 것입니다. "삼승 버선 겹버선에 아질자질 모아 신고/에헤야 헤야 에헤야 에헤야 차차 에헤야/닥쳤구나 닥쳤구나 잔칫날이 닥쳤구나/에헤야 헤야 에헤야 에헤야 차차 에헤야/강남땅의 강수자는 둘이 좋아 소문나고/에헤야 헤야 에헤야 에헤야 차차 에헤야/한산땅의 이수자는 솜씨 좋아 이름났네/에헤야 헤야 에헤야 에헤야 차차 에헤야…" 고된 노동이었지만 이렇게 하고 보면 몇 시간을 일하면서 불러도 끝이 없을 양입니다.

시집생활 50년이 지났습니다. 층층시하를 이루던 옛어른도 모두 세상을 떠나고, 남편도 먼저 가셨습니다. "임 없이 혼자 먹는 밥은 돌 반 뉘 반이다"는 소리가 나올 만큼 고즈넉한 살림에 익숙해졌습니다. 그런데다, 젊어서부터 쉬지 않고 일해온 후유증이 5년 전에 왔습니다. 허리수술을 하고 나서 왼다리가 무너진 것입니다. 뒤뚱뒤뚱 걷고, 완전히 앉은 자세로 일하기 어려운 형편이지만 어머니는 여전히 손을 헛놀리는 법이 없습니다. "밭에 앉아서 좀 구부리고 하는 거, 그런 거는 해요. 그냥 운동 삼아서 조금씩 하라고 해서 하는 것이지. 앉아서 모시 하기도 어려워요. 그냥 아무것도 안해도 사는디, 이것은 아직은 내가 할 만하다 싶은 생각이 들어간게. 일해서 손자 새끼들 돈 한푼이라도 주면 그것들 좋아하는 것 보면 좋고. 집이들^{제작진}도 후에 늙어봐요 부모의 심정은 다 똑같어…."

늙어서도 당당하고 싶은 할머니의 자존심과 보람, 그 말씀을 하시는 겁니다. 전금순씨는 『엄마를 부탁해』의 엄마처럼, 아니 그보다 더한 조건의 삶을 살았을 것입니다. 치매로 자식들에게 고통을 주는 대신, 일해서 손주들에게 용돈푼이나 주는 재미로, 잘하는 노래로 노년의 즐거움을 가꿔가는 이 할머니가 무척 씩씩하고 당당해 보입니다. 〈길쌈노래〉는 이제 깊은밤을 괴롭게 견뎌야 할 노래가 아니라 어엿한 지역 특산품이기도 합니다.

"하늘에다 베틀 놓고 구름잡아 잉아 걸고/**찔꿍잘꿍 바디집아 삐듯삐듯 쇠꼬리야**/참배나무 바디집에 옥배나무 북에다가/**찔꿍잘꿍 바디집아 삐듯삐듯 쇠꼬리야**/뒷다리는 돋아놓고 앞다리는 낮춰놓고/**찔꿍잘꿍 바디집아 삐듯삐듯 쇠꼬리야**/올공졸공 짜노라니 조그만한 시누이가/**찔꿍잘꿍 바디집아 삐듯삐듯 쇠꼬리야**/올케올케 우리 올케 그 베 짜서 뭐할라나/**찔꿍잘꿍 바디집아 삐듯삐듯 쇠꼬리야**/서울 가신 자네 오빠 강남 도포 해줄라네/**찔꿍잘꿍 바디집아 삐듯삐듯 쇠꼬리야**/대문 밖에 썩 나서서 거송 남기나무 걸어놓고/**찔꿍잘꿍 바디집아 삐듯삐듯 쇠꼬리야**/올라가는 시선비야 내려오는 시선비야/**찔꿍잘꿍 바디집아 삐듯삐듯 쇠꼬리야**/우리 선비 아니 오나 오기는 오네만은/**찔꿍잘꿍 바디집아 삐듯삐듯 쇠꼬리야**/중단목이 화살 잃고 고을 모시 실러 오네/**찔꿍잘꿍 바디집아 삐듯삐듯 쇠꼬리야**…."

을 어맨 줄 알았더니
흑사리끌이 날 속인다

조정임의 둥덩애타령

    직장인치고 '스트레스 받는다'는 말을 안 쓰는 사람이 없을 성싶은데, 원래 스트레스stress란 심리학 용어로 '어떤 상황으로 인한 적응의 어려움'을 나타내는 지표라고 합니다. 스트레스의 최우선 순위로는 배우자의 죽음이 꼽힙니다. 부부 사이는 상호의존이 큰 만큼 한쪽의 상실로 인해 살아남은 배우자의 적응이 그만큼 고통스럽다는 것이겠지요.

    그러고보면 필부필부일수록 배우자의 사별로 인한 스트레스가 클 것입니다. 수많은 대중들에게 큰 울림을 남기고 떠난 성직자들의 빈자리는 개개인들에게 구체적인 스트레스가 되지 않는지도 모릅니다. 김수환 추기경의 선종善終이, 법정 스님의 열반涅槃이, 어찌 따르는 제자들에게 스트레스가 아니겠습니까만 그분들에겐 배우자가 없으니 말이지요. 키우고 부양해야 할 가솔들이 없으니 말입니다.

    대체로 자기 의지와는 상관없이 부모나 친지가 짝지어준 연분을 인생의 반려자로 알고 살았던 전통 농경시대. 그 시대의 부부는 현대 핵가족 시대의 부부보다 훨씬 짐이 무거웠을 것입니다. 위로는 어른들이, 아래로는 자식들이 줄줄줄 했으니 말이지요. 그러니, 남편이든 부인이든 한쪽 배우자의 부재不在는 가족 구성원들에게 말 못할 아픔이었음을 미루어 짐작할 만합니다. "과부 사정은 홀아비가 안다" "과부 삼 년에 은이 서 말이고 홀아비 삼년에 이가 서 말이다""홀아비 부자 없고 과부 가난뱅이 없다"" 과부살이 십년에 독사 안 되는 년 없다" 등등 많은 속담들이 만들어진 배경일 겁니다.

속이야기를 듣고서야 이 분의 고통을 알게 됐습니다. 전남 신안군 지도읍 당촌마을에서 재담꾼으로 통하는 조정임 씨[1937~]. 마을에서는 개그우면처럼 늘 남을 웃기면서 사는 분입니다. 놀기 잘하고, 노래 잘 부르고, 웃기는 소리 잘합니다. 각설이 분장을 하고 〈각설이타령〉을 뽑으면 좌중의 배꼽을 잡게 하는 재주꾼입니다. 뱃길로 10분이면 닿는 인근 신안 증도가 친정으로, 농사로 해가 뜨고 지던 농경시대를 지아비와 함께 살아왔습니다. 어느 여염집처럼 초가삼간 빈한한 살림이었지만 아들딸 낳고 농사지으며 오붓하게 살았습니다.

남편과의 사별은 조씨를 완전히 새로운 삶의 조건으로 몰아넣었습니다. "(남편이) 돌아가게서 3년간을 아주 울고 살았네. 동네 사람들이 아주 아무개네 엄매 울고 산다는 것이 아주 다 표적이 나버렸어. (남편이) 보고 싶고 그리워서 그러잖애 자녀들 일을 생각한께 교육문제를, 자녀들을 어떻게 해야 내가 감당할까 싶응께. 그것이 항상 근심이어서 3년간을 울고 살았어 3년간을. 알게 울고 모르게 울고 하여튼 남이 상여만 나가도 울고…"

6남매를 남겨놓고 먼저 세상을 뜬 남편이 남긴 그 엄청난 짐과 스트레스. 3년을 울며 살았지만 답은 없었습니다. 죽어라고 논두럭 밭두럭을 헤치고 다녀야 했습니다. "울다가 울다가 지쳐서 생각을 해본께 이래서는 안쓰겠구나 못쓰겠구나. 한번 해봐야 쓰겠다. 3년 넘은 뒤로는 참 당촌마을 사람들이 다 알다시피 발벗고 나서서 하여튼 논두럭 밭두럭 댕김서 적은 땅이나마 내가 벌고 살았어. 그래도 땅이 적은께 아그들 6남매 교육문제를 한나도 제대로 못 갈쳤제. 힘이 안 닿응께."

발버둥치면서 일했지만 대학 문턱을 밟은 자식을 하나도 만들지 못했습니다. 자식을 가르쳐, 내가 산 세상보다 나은 세상을 살도록 해주고 싶은 마음을 갖지 않은 부모가 어디에 있으랴. 개천에서 용이 나던 시절이었으니, 겨우 입에 풀칠하며 살았던 형편에 자식 뒷바라지 못했던 어머니의 후회는 평생 이어지고 있습니다. 되돌릴 수도 없고, 다시 살 수도 없는 세월이 흘러가 버렸습니다. 돌이켜보면 눈물로 흐르고 한숨으로 나오는 지난 날들이 〈둥덩애타령〉에 실려 나옵니다. "당기 둥덩애 둥덩애덩/물만 써면 뻘만 남고 나만 가면 엄매 남고/우매 고향을 돌아다보면 내 눈에 눈물이 한정이 없네/당기 둥덩애 둥덩애덩/물이 가면 너도 가고 구름결에 바람 따라/바람 따라 나도 가면 고향 생각이 절로 난다/당기 둥덩애 둥덩애덩…."

〈둥덩애타령〉은 진도, 신안, 해남 등 전남 서해안 지역에서 구식 세상을 살아온 이들에게는 귀에 익은 소리입니다. 노래는 아편처럼 순간순간 치료제 노릇을 해줬습니다. 혼자 있어도, 여럿이 있어도 노래에 의지해 보면 그 잠시잠깐은 견딜 만했습니다. "항시 즐겁게 산 양반이여. 남편이 돌아가시고 없어도 그렇게 즐겁게 살려고 해. 어디 가서 어울리면 그 양반이 제일 솔선해서 노래 부르고.(김질암, 마을이웃)" "같이 논매러 다니고 할 때는 이런 노래를 많이 불렀제 옛날부텀. 더구나 저 언니는 혼자 산께 밤나 나서면 노래밖에 안 부르거든. 밤나 나서면 혼자여도 노래, 둘이 가도 노래, 그런께 밤나 노래여. 그러고 세월 넘기고 살고.(김금진, 마을이웃)"

"저 건네라 큰들이라 반딱 하는 것이 울 어맨줄 알았더니/날 속인다 날 속인다 흑사리꽃이 날 속인다/당기 둥덩애 둥덩애덩/저 건네 물꼬에 동백나무 저 건네 물꼬에 동백나무 울 어메가 숨겠는가심었는가 울 아베가 숨겠는가/눈이 오나 비가 오나 항상 봐도 쥐색일세/당기 둥덩애 둥덩애덩/어메 어메 일어나소 세 살 봉창 해 비쳤네/어화 둥실 박넝쿨은 담장 너메 손을 주고/우리 어메 어디 가고 내 손 줄줄 모르는가/당기 둥덩애 둥덩애덩…." 〈둥덩애타령〉의 소재는 무궁무진합니다. 하고 싶은 대로, 내키는 대로, 집어넣으면 됩니다. 그리운 어머니를 불러내도 보고, 자식들 떠넘기고 저 세상 먼저

6. 결혼사진　7. 8. 친정 부모님　9. 작고한 남편의 젊은 시절

간 무정한 남편을 원망하는 가사도 만들어 부를 수 있습니다.

　칠순을 넘긴 할머니이면서도 어머니는 어린 시절 부모 생각이 많다고 했습니다. 아들없이 딸네들만 줄줄 달렸던 친정 부모, 지금은 까마득한 1940년대쯤 신안 증도면에서 살았던 기억이 떠오르면 지금 자신의 처지와 겹쳐 안타까워진다고요. "그런 때는 학교를 안 갈치고 아들네들 있으면 같이 모도 도리깨를 치는디 우리 (친정) 집이는 아들네들이 없응께 우리 딸네들이 아빠 도운다고 도리깨를 쳤제. 그런 때는 도리깨로 쳐야만 (식량을 해서) 먹응께. 그렇게 겁나게 안타까운 시상을 살었제 그런 때는. 우리 아빠 엄마가 얼마나 순진해갖고 우리들만 생각하고 살았는고 (친정에서 살 때) 우리들은 아주 어쯯게 사는 것을 모르고 살았는디 이런 데를 시집이라고 와갖고 가시밭에 살아가지고. 진짜 참 아닌 설움 많이 받고 우리 (친정 부모가) 날 여기다 여워놓고 눈물 많이 흘리고 돌아가셨네…."

　지금도 밭에서 혼자 일하다 보면 스멀스멀 그리움의 기억이 올라옵니다. 깨를 털면서 〈도리깨질 소리〉를 꺼내보면서. "(후렴) **에 화야 도리깨 화야**/(앞소리)이 도리깨는 뭔 도리깨냐/구시월에 (보리를) 갈아갖고 삼사월이 돌아온께/**에 화야 도리깨 화야**/도리깨 화야는 누가 냈냐/**에 화야 도리깨 화야**/촌사람이 이것을 쳐야나 먹고나 산다/**에 화야 도리깨 화야**/여기저기도 보리모개 있고/저기저기도 보리모개 있고/생보리모개 두드려라/일년 농사가 많이 난다/**에 화야 도리깨 화야**/이 년 묵고 나온 보리/보리모개를 때려봐랴/**에 화야 도리깨 화야**/도리깨 화야는 어디서 왔냐/촌에 촌사람 때리라고/도리깨 화야가 나왔다네/**에 화야 도리깨 화야**/도리깨 화야는 어디를 가냐/철철이 따라서 삼사월에 도리깨 화야가 있다네/여 여그나 때려라/저 저그나 때려라/어쩨 거기를 때리라 하나/**에 화야 도리깨 화야**/보리모개를 보고 때려라/**에 화야 도리깨 화야**…."

아홉 살 먹어서부터 육십 살까지 요 새우젓을 잡았네

주명심의 청춘가

"아리랑 전장포 앞 바다에/웬 눈물 방울 이리 많은지/각이도 송이도 지나 안마도 가면서/반짝이는 반짝이는 우리나라 눈물 보았네/보았네 보았네 우리나라 사랑 보았네…(중략)…보았네 보았네 멸치 덤장 산마이 그물 너머/바람만 불어도 징징 울음 나고/손가락만 스쳐도 울음이 배어나올/서러운 우리나라 앉은뱅이 섬들 보았네/아리랑 전장포 앞 바다에/웬 설움 이리 많은지/아리랑 아리랑 나리꽃 꺾어 섬그늘에 띄우면서" (곽재구, 전장포 아리랑)

바닷길 따라 낭만과 서정의 시편이 몰려드는 길. 한때는 전국 최대의 새우젓 생산지였던 곳, 지금도 김장철이면 산지의 신선한 젓갈을 구하려고 몰려드는 소비자들로 북적이는 곳. 사철 바다가 주는 풍요와 넉넉함으로 섬생활의 외로움을 느낄 겨를 없다는 사람들의 마을.

전남 신안군 임자면 도찬리. '전장포'라는 포구 이름이 자연마을 도찬리보다 유명한 마을. 감성 짙은 서정시인의 시어가 자극하는 궁금증을 안고 일요일 아침 일찍 광주를 출발한 촬영팀은 두어 시간 만에 도찬리 '전장포'에 다다랐습니다. 마을 어귀에 닿자마자 요기를 먼저 하자는 공복감이 밀려왔습니다. 철선에서 내리자 촬영팀에게 펼쳐진 풍경은 낯설었습니다. 면 소재지라 문을 연 식당은 여러 군데가 있었지만 아침 식사를 할 곳이

없었던 거지요. 주일 예배를 가느라 바쁜 분들은 도회지 손님을 맞아주지 않는 것이었습니다. 대형마트의 빵과 부식거리로 허기를 채운 뒤에 알게 됐습니다. 면 인구의 90% 이상이 기독교인이라는 사실.

종교가 섬사람들의 일상에 스며든 현상이야 그리 궁금한 바는 아니었습니다. 다만, 일요일 예배 시간에 한두 집도 아니고 섬사람들 대부분이 일사불란하게 행동하는 것이 신기했던 것입니다. 대체로 전통적인 삶의 방식에 뿌리를 대고 있는 민속과 유일신을 섬기는 외래종교는 그 태생적 성격상 상생보다는 상극점相剋點에 위치합니다. 거창하게 들어갈 것도 없었습니다. 꽹과리며 북장구 치는 것이 일상이었던 마을 사람들은 교회를 다니면서부터 '이건 사탄이 아닌가' 주저하게 됐습니다. 교회는 마을 고유의 풍물이며 굿 문화를 인정하고 상생하려 하기보다는 '그건 하지 말아야 할 것'으로 선을 그었습니다.

과연, 마을 사람들은 풍물판을 펼치기 전까지 주저하는 기색이 완연했습니다. 곱게 차려입고 교회를 다녀온 복색도 복색이려니와 "아따 목사님이 저런 것 하지 마락 했당께"하는 소리도 들려왔습니다. 본격적으로 판이 벌어지기 전까지는 그랬습니다. 꽹과리 소리 깨갱깽깽 울리고 북소리 둥둥거리자 눌렸던 '머리'는 화인이 박혀있는 '가슴'에 밀려나기 시작했습니다. 숨죽이고 있던 '왕년의 놀던 가락'이 터진 것입니다. 상투튼 유림에게 양복 입힌다고 신식 신사가 될 수 없는 것처럼, 수십 년 동안 한식을 먹어온 사람들이 외국생활을 한다고 해서 된장국 냄새에 푹 빠져들지 않을 수 있겠습니까.

폭발적인 느낌이었습니다. 저마다 잠재해 있던 끼가 폭발하는 마당인 듯했습니다. 너나 할 것 없이 마을의 꾼들이 자연스레 경연競演 모드로 진입했습니다. 예배 보러 간다고 곱게 차려입은 외출복도, 굽 높은 구두도 끓어오르는 신명의 장애물이 되지 못했습니다. 저렇게 잘 노는 사람들이, 저런 바탕에서 살았던 사람들이, 입 닫고 어찌 살았을꼬 싶었습니다. 〈아리랑타령〉

이며 〈청춘가〉를 부르는데 주거니받거니 이 사람이 메겼다가 저 사람이 메
겼다가 했습니다. 지금은 인근 송도 어판장에 주도권을 내줬지만 이 바닥은
엄청난 물량의 해산물이 거래되던 곳이었습니다. 파시波市가 열리면 이 바닥
이 흥청흥청했습니다. 돈이 넘쳤고, 선술집마다 취객들의 고함소리 높았고,
한곳에서는 판돈이 센 노름판이 벌어졌습니다. 노는 것도 화끈하게 놀았습
니다. 풍어와 마을의 안녕을 기원하는 굿문화가 튼튼했습니다. 전장포 사람
들의 '놀던 가락' 이란 그런 배경을 토대로 형성됐던 것입니다. 굿치고 놀던
사람들이 목사님 눈치보느라 옛날 노래 한자리를 주저하는 시절이 됐지만,
옛날 흑백 영화처럼 아득한 그 시절의 영화榮華지만 말입니다.

   남녀가 따로 없이 노래판을 펼치는데 각축장角逐場이 따로 없었습니다.
마을 사람들 가운데 눈에 띄게 활력 넘치는 사람이 주명심 씨1940~ 였습니
다. 기세가 대단했습니다. "임자면 전장포 사람 살기 좋고요/전장포 새우젓
김치하면 좋아요/사월 달에 사젓은 알타리에 맛 들어지고/오월 달에 병어
는 쫄깃쫄깃 맛도 있고/유월 달에 육젓은 배추김치 안성마춤/칠월 달에 민
어 나면 싱싱해 맛있고…." 그때그때 가사를 만들어서 불러내는 것이라,
입에서 나오는 족족 신내린 무당의 굿사설처럼 짝짝 맞아갔습니다. 할머니
라 부르기엔 역동적인 주씨도 70을 넘긴 할머니. 여기서 태어나고 여기 청
년과 결혼하여, 평생을 전장포 사람으로 살았습니다.

   "다른 데 한 번도 안가고 여기서만 그렇게 산 거지. 이 동네 청년하고 이
동네에서 결혼했지. 우리는 매일매일 돈이 들어오잖아. 그런께 그 맛으로
밤나 아쉬운 점 없이 살아나왔지. 한참 여그서 고기를 잡어오면 흥실흥실해
부러. 손님들도 많이 오고하면 여기가 직신박신 한당께…" 사시사철 바다가
주는 풍요 속에서 배고픈 세상을 살지 않았답니다. 새우젓 산지라고 해서
새우만 천지인 게 아니었습니다. 꽃게 병어 민어 덕자 황석어, 배고픈 사람
군침돋게 하는 해산물이 넘치는 서남해안의 명당, 거기서 풍족하게 살아왔

으니 뭍에 사는 사람 부럽지 않았다는 겁니다.

어려서부터 섬사람으로 살면서 보고 듣고 놀다보니 몸에 붙어버린 문화. 풍물 소리만 나면 조건반사처럼 저절로 어깨춤이 덩실거려지는 풍토. 뻣뻣한 유교식 범절이 지배 이데올로기였지만 내륙보다는 관대했던 섬문화는 선머스마같은 여성들을 노래쟁이로 키워낸 바탕이었습니다. "한 열일곱 열여덟살 먹어서도 건구^{풍물}를 치면 이상하게 건구소리가 너무 좋아갖고 막 식구들이 밥좀 빨리 먹었으면 쓰겄다 그래져. 애터져 죽겄어. 얼른 설거지 하고는 옷차려입고 건구 바탕^{풍물판}에 가제…." 다 큰 처녀몸으로 풍물판에 뛰어들고 싶어 애달았던 이야기를 하는데 지금도 기억이 그렇게 생생했습니다.

탁월한 소리꾼이라고 하기엔 그렇고, 전장포 최고의 놀이꾼이라고 해야 어울릴 듯했습니다. 즉흥적으로 가사를 지어내는 능력이 뛰어나고 춤이며 몸동작이며가 거침이 없습니다. "전장포라서 새우젓 잡는 나는/아홉 살 먹어서부터 (좋다~)/육십 살까지 요 새우젓을 잡었네/삼겹살 먹는 디는 새우젓이 최고고/김치나 담는 디는 (어루화~) 새우젓이 최고다/총각 김치 담는 디 새우젓이 최고고/김치나 먹는 데도 (좋다~)/새우젓이 최고다…." 〈청춘가〉를 하라면 이런 식이었습니다.

외워서 하는 연설이나 외워서 부르는 뻔한 노랫말은 감흥을 주지 못합니다. 옛적 우리 선조들이 불렀던 노래는 그런 암기식이 아니었습니다. 갓 지어서 김이 모락모락 올라오는 밥맛, 갓 잡아올린 고기를 배위에서 회쳐먹는 맛, 막 버무려서 쫙쫙 찢어서 먹는 김치맛, 뭐 그런 맛이었을 겁니다. 주명심씨가 불러대는 노래맛이 그랬습니다. "에~ 어그야자차 뱃놀이 가잔다/어~어~어~ 어그야자차/고기도 많이 나고 좋다 황석이^{황석어}도 나오고 좋다/어~ 어그야자차 어~ 어그야자차 뱃놀이 가잔다/ 한 물에 썰물에 이천 냥/든 물에 사천 냥/두 개 합해서 오천 냥이 들으세요/어~ 어그야 어그야자차/어~ 어~ 어~ 어그야자차…."

당신이 죽고서 내가야 살면 뭣하나

함광선의 정선아리랑

한반도에는 4대 아리랑이 있습니다. 서울경기 지역에서 불려온 본조아리랑, 전라도 진도에서 발생해 호남지역에서 널리 불려온 진도아리랑, 경남 밀양 아랑의 설화와 함께 전해오는 밀양아리랑, 그리고 정선아리랑입니다. 넷 가운데 〈정선아리랑〉은 가사의 수로 보나 만들어진 역사로 보나 단연 첫 손에 꼽힙니다. 영남지역의 〈밀양아리랑〉처럼 다부지고 역동적이지도 않고, 호남지역의 〈진도아리랑〉처럼 찰지면서 힘차지 않으며, 경기지역의 〈본조아리랑〉처럼 매끈하지도 않습니다.

그저 넋두리하듯, 답답한 속을 토해내듯 수수하고 소박합니다. 그러나 듣고 있으면 그 가사에 깃든 사연들이 이면裏面에 딱딱 맞아떨어지고 그 뒷맛이 깁니다. 다른 지역의 아리랑처럼 쌈빡하진 않으나 울림이 남는 아리랑. 남녀간의 사랑과 그리움, 남편에 대한 원망, 시집살이의 서러움, 고부간의 갈등, 산골마을의 지난한 삶, 노동의 고단함과 유희 등 삶의 희로애락이 고스란히 담겨있지요. 가창자의 생애가 그러했을까 싶게, 화려한 인생이라고는 살아보지 못한 산골 화전민의 빈곤하고 쓰디썼던 속내가 토해집니다.

다종다양한 '한민족의 소리' 치고 독특한 맛이 없는 게 없지만, 가장 끌리는 소리를 하나만 고르라면 전라도의 〈육자배기〉를 꼽겠습니다. 남도에서 태어난 탓인지 모르겠으나, 전남 진도땅에서 여느 아낙이나 할아버지가 논밭에서 부르는 그 소리를 들으면 온몸을 휘감는 전율에 휩싸이곤 합니다. 그 〈육자배기〉와 함께 또 하나를 꼽으라면 바로 이 〈정선아리랑〉를 꼽겠습니다. 긴 소리와 짧은 소리를 같은 비교선상에 놓을 수 없지만, 비교가 허락된다면 이렇게 말하고 싶습니다. 전라도의 〈육자배기〉와 강원도 〈정선아리랑〉은 형제간처럼 닮았다고. 기쁘고, 슬프고, 성나고, 즐겁고, 괴롭고, 아픈 인생의 굽이굽이가 그 소리에 서리서리 달려있습니다. 다르다면 전라도 육자배기는 진양조의 구불구불한 옛길이고, 정선아리랑은 가사의 마디마디가 짧아 가까운 신작로 같다고 할까. 절창의 〈육자배기〉는 감정의 공감대를 지닌 이를 꼼짝못하게 주저앉히고, 절창의 〈정선아라리〉는 세대가 다르고 감정의 공감대를 지니지 못한 이를 끌어들입니다.

강원도 정선, 참 먼 길이었습니다. 호남고속도로를 타고 가다 중부선, 영동선을 거쳐 국도를 따라가다 보면 편도 1차로의 굽이굽이가 바쁜 발길을 늦춥니다. 강원도 정선군 하고도 임계면은 더 먼 곳이어서 "이런 산골짝에서도 사람이 살고 있을까" 싶게 궁벽진 벽촌僻村입니다. 가을걷이가 끝나가는 고양리는 집들도 드문드문했습니다. 고양교회가 없으면 그야말로 원주민촌이라고 할 화전민들의 삶터입니다. 이 터전에서 80년을 넘게 살아온 함광선 씨1928~.

꾸밈이라고는 없는 백발의 짧은 머리, 허리가 내려앉아 두 손에 나무 지팡이를 짚은 모습. 태풍이라도 몰아치면 날아가버릴 듯 얇은 지붕의 집, 옛것 냄새가 훅 끼쳐오는 낡은 문지방, 요새는 눈을 씻고 찾아보려 해도 찾기 어려운 푸세식 변소. 요즘 세상에 찾아보려고 보면 정말 찾기 어려운 환경에 함 할머니가 계셨습니다. 쌍지팡이를 짚고 사는데 이력이 붙은 듯, 걸음이 빨랐습니다. 집안에 있는 텃밭을 매는 손길, 집 바깥 콩밭이며 옥수수밭

을 다니는데 그렇게 동작이 기민할 수가 없습니다. "이렇게 된 지가 한 9년 돼요. 다리가 이렇게 된 게. 수술해 가지고 왔는데 계속 이렇게 아파. 작대기를 한 개를 짚으면 가다가 픽픽 넘어져요. 두 개를 짚으면 양쪽을 짚으니까 덜 아프고. 허리도 그 전에 지게질을 많이 해 다쳐가지고 못해요."

한 아들을 잃고, 자식을 두고 떠난 며느리 대신 없는 살림에 손주들을 키우느라 등골이 휘게 고생했다는 몸. 직장에서 사고로 불구자가 된 큰아들 보기가 가슴 아파 깡촌에서 조용히 살아가는 몸. 문명으로부터 아득한 거리에서, 80 평생을 살면서 서울 구경 한번을 못간 몸. 화전 일구고, 산에서 나물 뜯어가면서, 자연에 순응하며 살아온 몸. 인생의 황혼에 선 나이, 남들은 다 누려본 호강을 한 뙈기도 못 누린 생애가 억울하고 서글퍼 부르는 노래. 누가 만든 것인지 당신이 지어부르는지 경계를 알 수 없는 노래. 신세타령이 그대로 노래가 돼 나왔습니다. "왜 다 늙었나 왜 다 늙었나/내가야 왜 다 늙었나/아들딸 먹여살리다 내 모발이 씌었네/갈가을철인지 봄철인지 나는 몰랐더니/뒷동산에 해화 춘절이 봄 알고 와주네/호박줄 고지줄은 지 멋대로 가는데/나는야 누구에 걸려서 지 멋대로 못가나."

그 노래 끝에 눈물이 맺힙니다. 살 만큼 살아서 여한도 없을 것 같은 할머니의 실핏줄 같은 감성이 터져버렸습니다. "우리 아들이 넷 됐는데 우리 셋째아들이 죽고. 그 손주 키우느라고, 손주를 두살 먹고 네 살 먹은 걸 애미가 떼어놓고 달아나니 그 아이들 고등학교까지 시키느라고 내 아주 죽을 뻔했어요. 이 손톱 발톱이 다 빠지도록 품 팔아가지고 그래 공부시켰어. 우리 큰아들은 용인에 있는데 회사 다니다가 다리를 한짝 끊어가지고 아주 골격이 측은해요. 그래가지고 오라고 그래도 내가 그 다리 보기 싫어서 안가고 여기 살고 있죠."

논이라고는 보이지 않는 깊은 산골, 평생 몇 뙈기 되지 않는 밭농사에 푸성귀로 일용해 왔던 생애였습니다. 한마디 한마디 듣고 보니 먹을거리만큼

은 풍요롭게 살고 있는 원시부족 '아마존의 눈물'과는 다른 '정선 아낙의 눈물'을 이해할 수 있게 됩니다. "말도 못하게 살았지 뭐. 시방 사람 같으면 달아나기나 하지 달아나지도 안하고. 만날 가난하게 살았지요. 저 산에 댕기며 나물 뜯어먹고 살았어요. 밤 주워먹고 그렇게 살았다요. 정선아리랑 노래를 하다 보면 눈물이 나지요. 내가 어디 한번 가보지 못하고, 남은 다 구경 댕겨도 나는 아들딸이 많다 해도 이 평생 서울도 안 가봤어요." 할머니의 고백에 가슴이 시려옵니다.

"당신이 죽고서 내가야 살면 뭣하나/방실방실 끓는 물에 퐁당 빠져죽세/당신이 갈라면 혼자나 가지/삼칠백 맑은 정신은 왜 빼고 갔나." 생애담을 털어놓다가 두 토막씩 들려주던 아라리는 노래인지 말인지 구분하기 어렵습니다. 노래와 삶이 불이(不二)의 한몸인 것이지요. "인제 고만 합시다" 하시고는 마른침 삼키고 곧장 또 독백같은 노래가 밀려옵니다. "서산에 지는 해는야 지고 싶어 지겠소/우리야 아들딸이야 날 버리고서 가고 싶어 갔나." 이렇게라도 풀어내지 않으면 굽이굽이 가슴속 응어리가 되었을 것, 아라리는 해한解恨이요 심리치료제였을 성싶습니다. "괜히 나이 많아 섧죠. 오늘 죽나 내일 죽나 하고 그래 섧죠. (노래를 하면) 시원하지요. 혼자 있을 때는 속이 막 터질라 할 적에는 이리 노래를 한마디씩 하면 시원하지요."

"아들딸이야 많다고 소문은 덜컥 났는데/고향이 천지는 나 혼자 늙네/눈물은 흘러서 한마당이 되고/한숨은 쉬어서 동남풍 된다/왜 늙었나 왜 늙었나 왜 내가 다 늙었나/이렇게를 좋은 세상에 왜 내가 다 늙었나…" 어눌한 말처럼 들려오는 그녀의 노래는 마을에서 직접 들을 때나 TV 모니터를 통해서 볼 때나 똑같이 구슬픕니다. 듣는 이의 가슴에 서걱서걱 스산한 바람을 일으킵니다. 한 평생이 울음 덩어리인 인생, 인생이 담겨 있는 소리가 온몸으로 흘러나오면 설명이 필요없는 감동이 옵니다. 함광선 할머니의 〈정선아리랑〉은 현장의 교재敎材라는 생각을 했습니다.

바람은 손 없어도
섰는 낭기를 흔드는데

허서운의 흥타령

"현재 일본의 노인인구는 432만 명을 넘어섰다고 한다. 그런데 폭발적인 노인인구의 증가는 예상치 못한 사회문제를 낳고 있다. 바로 노인 범죄, 특히 독거노인의 범죄가 엄청나게 늘었다는 것이다. 20년 전에 비해 무려 다섯 배나. 그런데 독거노인은 체포되기 위해 일부러 범죄를 저지른다는데, 얼핏 들어서는 이해할 수 없는 상황이다. 감옥에 가기 위해 일부러 죄인이 되는 것은 그 지겨운, 그 고통스런 고독에서 해방되기 위해서라고 한다. 이해하기 힘들지라도 사실이다…. 일본의 감방은 시설이 괜찮은 편이다. 두 사람에게 배당되는 방에는 텔레비전과 서가가 갖추어져 있는데다, 식사는 웬만한 식당 음식보다 낫다. 그렇게 웬만한 요양시설 못지 않은 곳에서 돈 한 푼 들이지 않고 지낼 수 있으니 이게 웬 떡이냐고 독거노인들이 침을 삼키는 것이다…"(김열규, 『노년의 즐거움』중).

연인 없이 겨울을 보내는 젊은 청춘 남녀들도 "옆구리가 시리다"고 하는 외로움. 현대사회에서 건강한 노년생활을 위협하는 것 가운데 하나가 바로 이 고독이 아닐까 싶습니다. 경제력이 있다고 해도, 효심 강한 자녀를 두고 있다고 해도, 날마다 홀로 식사를 해결하고 스스로를 경영하는 일은 쉽지 않을 겁니다. 오죽하면 일본의 경우처럼 말벗을 얻기 위해, 지금보다 나은 생활조건을 얻기 위해, 스스로 감옥행을 택할까 싶지만, 멀리 갈 것도 없습니다. 노령자들을 전문으로 하는 병원이나 노인 복지시설을 가보면 남의 문제만이 아니라는 것을 쉽게 확인할 수 있습니다.

넉넉지 않은 살림이나마 부부가 함께 사는 것과 홀로 사는 것은 정말 많이 다릅니다. 외톨이, 스스로 무한대의 자유를 구가하는 자유인이라기보단 처절한 절대고독의 병을 앓고 있는 신세. 만나서 이야기를 듣다 보면 얼핏 얼핏 알 듯합니다. 남에게 속시원히 드러낼 수 없는, 혼자서 감당해야만 할 내면의 고통스러움….

전남 진도군 의신면 칠전리. 허서운 씨^{1938~}도 남편과 사별^{死別}한 지 5년 세월을 보내고 있었습니다. "(작고한 남편은) 안 편찮하다가 맥없이 감기 걸려갖고 아프다고 서울로 아그들한테 가더니 수술해갖고 한 며칠 있다가 돌아가셨어. 한 몇 년은 슬프게 살았제. 지금은 오래된께 잊어불제. 할 수 없이 (남편과 나는) 길이 틀린께 따라도 못 가고. 그작저작 살다나면 날이 가고 해가 간께 잊어불지." 어머니는 농촌에서 홀로 산다는 것이 어떠한지 들려주려 하지 않았습니다. 잠깐이나마 함께할 사람이 있는 순간의 즐거움, 그들이 떠난 뒤에 찾아오는 적막강산 같은 외로움, 그것이 표현한다고 알 수 있는 것이며 표현하지 않는다고 모를 것이겠습니까. 9남매를 두셨지만, 농촌에서 독거노인의 삶을 후회하지 않는다고 했습니다. 뿐만 아니라 날이면 날마다 억척스레 일을 해대는 여장부로 불립니다. 진도에서는 겨울 대파 농사가 새벽부터 저녁까지 바쁜데, 이 분을 만나려면 작업장으로 가야 할 정도지요.

1. 2. 6. 남편 생존했을 때의 한때   4. 8. 마을회관에서 〈아리랑타령〉을 부르는 모습
5. 겨울 대파 수확하는 모습

　자식들이 날이면 날마다 전화해주고 걱정해주는 말로는 절대 채워지지 않는 가슴 한켠이 있다고 했습니다. 이라고 남들하고 (일하러) 댕길 때는 좋고. 집에가 있으면 적적하니 그랗게 쏘다니고 그라요. 저 들에 갔다가 캄캄하니 집에 들어가믄, 문 끌를라믄 문을 열려고 하면 놈은 불 써졌으믄 거서 있으믄 놈은 불이라도 써졌건만 내 집이는… 여럿이 오다가 일부러 "와따 우리집 누가 훤하니 불써났다" 그런 소리도 하고 그래. 가슴이 아픈께 (그런 소리를) 하제 맥없이 하겄어?" 시원시원하고 재담 잘하는 성격이지만 기나긴 밤 고적감과 싸우기엔 힘겹다는 말씀입니다.

　인근 마을 만길리에서 시집온 허서운 씨는 마을에서 만길댁이라는 택호로 불립니다. 만길댁은 칠전리에서 첫손가락에 꼽히는 소리꾼이어서, 마을 이웃들에게 인기가 높습니다. "만길댁이 너무나 잘하지. 만길댁이 있어야 놀음이 돼요 동네가. 없으면 안돼야." 이 정도 평가를 받습니다. 모든 진도 사람들이 〈육자배기〉〈흥타령〉처럼 긴 소리를 다 잘하진 않지만, 사연이 맞아떨어지는 분에게 듣는 소리는 정말 와닿습니다. 만길댁의 〈흥타령〉도 그런 절창에 해당하지요. "바람은 손 없어도/섰는 낭기나무를 흔드는데/요 내 수족手足 다 있어도/가시는 임 못 붙드니/이 몸은 피골皮骨이 상접相接일세 헤~" 바람은 손이 없어도 가만히 서있는 나무를 흔드는데, 손발을 다 갖고 있는 나는 가시는 임을 붙들지 못해 병이 난다는 노랫말입니다.

　"자식들이 좋게 한다고 밤나 잘한다고 해도 내 마음은 새로 따로 있제. 이런 슬픈 마음도 이러더라, 그런 소리도 자식들한테 하도 못하고 혼자 넘기고 그라제. 그런 것흥타령이 얼마나 슬픈 노래요? 인자 혼자돼서 서럽고 슬플 때 맨 그런 노래만 하제." 진도에서 구전口傳되는 긴 소리가 만길댁에게 '위로제'였음이 분명합니다. "헤~/꿈속에서 보이는 임은/신의信義가 없다고 일렀건만/오매불망寤寐不忘 그리운 임아/꿈이라고 생각을 말고/자주자주 보여준다면/너와 일생을 보내련다~." 떠나버린 임을 꿈속에서라도 자주 만나고 싶다는 마음을 담은 노랫말입니다.

　흥과 신명, 이웃과 함께 어울려 사는 굿문화가 몸에 밴 사람들. 장구메고 마을회관에서 이웃들과 한번 어우러질 때면 만길댁의 외로움은 달아나고 없습니다. "아리아리랑 서리서리랑 아라리가 났네~ 아리랑 응응응 아라리가 났네/바람이 불어서 내가 옆걸음 쳤냐/큰애기 너를 볼라고 내가 옆걸음 쳤네/아리아리랑 서리서리랑 아라리가 났네~ 아리랑 응응응 아라리가 났네/신작로 나자마자 임 잊어불고/자동차만 왔다가도 임 생각나네/아리아리랑 서리서리랑 아라리가 났네~ 아리랑 응응응 아라리가 났네." 이쯤 되면 굿보던 사람들도 일어나 어깨춤을 덩실거리고, 만길댁의 〈아리랑타령〉은 브레이크 없는 질주 모드에 돌입합니다. "바람아 강풍아 불지를 마라/궁중에 뜬 나무 생고생을 시킨다/아리아리랑 서리서리랑 아라리가 났네~ 아리랑 응응응 아라리가 났네/왜 왔던고 왜 왔던가/울고야 갈 길을 왜 왔던가/아리아리랑 서리서리랑 아라리가 났네~ 아리랑 응응응 아라리가 났네…."

옛날에 놀던 가락입니다. 장구 두드리며 소리 한바탕 내지르고 나면 속이 확 트인 듯, 마음이 소쇄해지는 것. "진짜로 그래. 복장 터질라고 할 때 노래나 한자리 서서 시원하게 불러불믄 얼로 가부러. 고민이 얼로 가분당께." 고독을 견디기 어려워 감방행을 택하는 일본의 고령자들에 비하면, 만길댁이 고독을 다스리는 법은 무척 문화적이지요. 소리 잘하는 진도 어매아배들을 볼 때면 새삼스레 한국문화의 힘을 느낍니다. 그 문화란 게 생활 속에서 길러지고 발효된 것이라 그럴 것입니다. "그 전에는 혼자 사는 사람들 속을 몰랐는디, 이녁이 혼자되고 난께 알겠어. 그 사람이 어찌꼬 살았던고. 젊어서 (남편이) 돌아가신 사람들은 어찌꼬 살았던고…." 발동걸린 만길댁의 〈흥타령〉이 길어집니다.

"헤~/임 떠나신 그날 밤에/달은 어이 밝았느냐/야월성중夜月城中 깊은 밤에/슬피 우는 저 갈마귀/너마저 슬피 울면/내 사람이 산란허더라 헤~/구름같이 오셨다가/번개같이 가버린 사람/생각하는 것이 내 그렇지/꿈에나 보잤더니/이제 와서 만났으니/떨리는 마음을 진정할 수가 없네…."

03

풍물·상쇠

깽매깽매 깽서방 노랭이 상투 이서방

김관우의 징서방타령

 어디건 유달리 장난스러운 재주꾼들이 있습니다. 주위 사람을 즐겁게 해 줘서 '재양퉁이'라 불리는 사람. 마을에 꼭 한명씩은 있게 마련인 플레이 메이커. 분위기가 썰렁하다가도 그 사람의 등장과 함께 웃음과 활기가 생겨 나는 분위기, 그런 경험이 있을 것입니다. 나이가 들어서도 입심 하나는 죽 지 않고 살아있는 사람. 진도 고군면 석현리에 사는 김관우 씨1929~ 도 그런 분이었습니다. "나보고 집안 어른들이 공부는 안하고 못된 놈 된다고, 당골 네 새끼 같은 맘을 먹고 있다고 사람 못 되겠다고, 맨 노래나 하고 춤이나 추러 다닌다고, 어른들한테 시비 많이 먹었습니다. 원래 취미가 그것이 아 주 그렇게밖에, 팔자가 또 그렇게 돼갖고 있는데 말입니다 허허."
 "끼기기기기긱~" 석탄을 싣고 가는 기차의 기적소리를 흉내내는데 영락 없습니다. "자 시장하신 분에게 식사가 될 만한 계란빵과 호두만두가 있습 니다~ 잠시 후에는 이리역이올시다~ 내리실 손님 여러분께서는 각자 짐을 잊지 마시고~" 기차 안에서 장사하는 사람 흉내도 그럴 듯하구요. 이뿐 아 닙니다. 강남 갔다 돌아오는 제비소리, 개 짖는 소리, 닭 울음소리, 매미 울음소리, 모두 이 양반의 입을 거치면 사실적인 의성어로 바뀝니다. 한 방송사의 인기 프로그램 〈스타킹〉에 출연해도 손색없는 스펙의 '소리' 자원을 가졌습니다. 80을 넘긴 고령에도 그런 '자발없는 짓'을 하고 다녔으니 전통사회에선 당연히 흉잡힐 일이었습니다.

〈흥타령〉이며 〈육자배기〉를 불러달라는 대로 쭉쭉 뽑아줍니다. "꿈속에서 보이는 임은/신의가 없다고 일렀건만/오매불망 그리울 적엔/꿈이 아니면 어이 보리/저 멀리 머~얼리 그리운 임아/꿈이라고 생각을 말고/자주자주 보여주면은/너와 일생을 보내련다~"(흥타령) "꿈아 꿈아/무정한 꿈아/오시는 임을/보내는 꿈아/잠든 나를/깨우지 말고/가시는 임을/꼭 붙들고/날 깨워주게/언제나/알뜰한 임을/만나서/이별 없이나/살 고나헤~."〈육자배기〉밭에서 괭이질 하다 말고 불러주는 그 소리가 참 좋았습니다.

당신 젊은 시절에 만들어 불렀을 〈아리랑타령〉가사도 잊혀져가는 옛날 냄새가 물씬 납니다. "일본을 간다고 너무 좋아를 말어라/잠자리 보면은 임 생각이 난다/아리아리랑 서리서리랑 아라리가 났네~/아리랑 응응응 아라리가 났네/간장 된장이 짜다고 하여도/우리집 시엄씨만은 못 짤레라/아리아리랑 서리서리랑 아라리가 났네~/아리랑 응응응 아라리가 났네/마늘 고추가 맵다고 하여도/우리집 시누 동생만 못 매울레라/아리아리랑 서리서리랑 아라리가 났네~/아리랑 응응응 아라리가 났네/시집살이 되다고^{힘들다고} 친정으로 갔더니/친정 부모 호령 무서서^{무서워서} 되돌아왔네/아리아리랑 서리서리랑 아라리가 났네~/아리랑 응응응 아라리가 났네."

일제 강점기, 외진 섬나라 진도에서 태어났지만 일본에 건너가 초등학교 유학을 했을 만큼 집안 형편이 좋았습니다. 젊은 시절엔 산림청 공무원을 했을 만큼, 평범한 농민의 삶과는 거리가 있는 인생이었고요. 소리가 좋았고 춤 재주가 뛰어났으며 재담 솜씨가 뛰어나 여인네들에게도 인기짱이었습니다. 목포 유달산 자락에서 유행가깨나 불러댄 재주꾼이었습니다. 젊어

1. 3. 젊은 시절 '진도 북놀이' 하던 모습   6. 군대시절

청춘시절에도 그랬고 80을 넘긴 촌할아버지인 지금도 그렇습니다. 북을 잡으면 확 에너지가 솟구칩니다. "확 날고 잦지 날고 잦어. 늙어진 맘이 없어져요. 운동도 되고 마음이 개운하고 첫째, 골이 흥을 가져부려요 고민이 없어져불고…"

젊어서 '줄'을 잘 섰더라면 진작 문화재 예능 보유자가 되었을 실력자였습니다. 스스로 '자발없는 잡놈'임을 마다하지 않고 싸돌아다니면서도 '정치'를 배우지 못했습니다. 민속학자들이 진도의 민속을 주목하며 이 종목 저 종목 문화재가 생겨나던 시절, 민중문화의 도가니였던 진도에 '문화재병'이 깊어지던 시절, 그는 제 몫을 챙기지 못했습니다. 2010년 7월 수십년 동안 '후보'였다가 뒤늦게 '진도 북놀이' 종목의 문화재 보유자가 된 것으로 족했습니다. 현세의 자리나 물욕보다는 당신의 재담을 듣고 웃어주는 사람들 있으면 그것으로, 기차 화통소리며 동물 흉내내는 소리를 펼칠 수 있는 놀이판이 있으면 그것으로 만족스러웠습니다.

진도 고군면 석현리, 2009년 봄 이 재양퉁이 영감님 댁을 찾았더니 호젓하기 이를데 없었습니다. 몇 뙈기 안 되는 논밭 농사를 놓지 않고 계셨습니다. 새로운 거 뭐 하나 없냐고 여쭸습니다. 영감님은 옛날옛적 정월보름이면 쳐대던 마을 풍물패 노인들에게서 배웠다는 〈징서방타령〉이라는 걸 끄집어내셨습니다. 빗자루나 소고채를 두드리며 불렀다는 그런 재담소리를 용케도 끄집어 내셨습니다. "어려서 들었제. 굿치고 춤추고 댕기던 취미로 어른들 따라 다님시로. 귀로 듣제 뭘. 우리 마을이 농악 한번씩 칩니다 매년. 정월 보름날이면 그때는 바가지라고 쪽박 들고 빗자루 들고 뚜들고 그러고 다 동네마다 굿치고 돌아다녔어. 다 그때 들은 거." 어느 골방에 처박혀 있던 골동품처럼, 수십 년 묵은 장롱 속에 남겨져 있을 법한 묵은 노래. 제목은 〈징서방타령〉이랍니다. 옛날 이서방네와 박서방네가 혼사를 치르다가 잘 안 되는 모습을 표현한 재담소리입니다.

"깽매 깽매 깽서방 노랭이상투 이서방/이서방네 가시나 통가죽을 벗겨서/이 집으로 뚜구덕 뚜구덕/저 집으로 뚜구덕 뚜구덕/소구방구^北 장구 빼가지고 동네방네 댕겨도/담뱃값도 안 나오고/술값이도 안 나온다/이서방네 집에서는 톨톨 털어 딸 한나를/외손자나 볼라고 박서방네 아들한테/궁합을 맞춰서 시집을 보냈더니/도로^{다시} 와서 키 작다고 마다 하고/어리다고 마다 하고/못 났다고 마다 하네/죽일 놈의 가시나/**깽매 깽매 깽서방 거멍이상투 박서방**/박서방네 집에서는 톨톨 털어 아들 하나/손자나 볼라고 이서방네 딸한테로 장가를 보냈더니/키 크다고 마다 하고/무섭다고 마다 하고/등치 크다고 마다 하네/망할 놈의 가시나/죽일 놈의 가시나/못된 놈의 가시나/사람 못될 놈의 가시나…."

착실하게 농사지어 한푼두푼 모아가는 재미로 살아온 정주민^{定住民} 인생은 아니었지만, 그렇다고 부평초처럼 재주부리며 떠도는 유목민^{遊牧民} 인생도 아니었습니다. 다만 충만한 예능의 힘으로 '더러운 팔자'를 누르며 살아온 인생이었습니다. "내가 팔자가 더러워갖고 여자^{부인}가 둘이 죽었습니다. 그렇게 놀래논께 또 죽을랑가 염려가 된께 집에 와서 살란 말을 못해요. 또 죽을까 무서운께… 내 팔자가 더럽소." 두 명의 부인과 사별^{死別}한 아픔을 지닌 지아비. 늘그막에 정분 나누며 사는 여인이 이웃 마을에 살고 있는데, 혹 또 사별할까봐 집에 못 들이고 있다는 말씀이었습니다. 정도의 차이일 뿐, 모든 노인은 외롭습니다. 이 노인이 덜 외로워 보이는 것은 마음속에 따리튼 철학, "즐겁게 살자"를 신봉하기 때문인 것 같았습니다.

요 내 살을 곱게 떠서
골골 사람 나눠 잡쇠

김동언의 소타령

여느 마을 할 것 없이 황량해진 느낌이지만 그래도 농촌에 가면 개짖는 소리는 흔히 들을 수 있습니다. 홀로 사는 분들도 개 한 마리쯤은 키우고 삽니다. 사람을 대신해 적적함을 달래주고 인기척을 알아봐주는 머슴 같은 녀석이지요. 이렇듯 농촌 하면 떠오르는 것이 참 많지만 그중 첫손가락에 꼽히는 것은 가축家畜이 아닌가 합니다. 개, 고양이, 닭, 오리, 돼지, 소… 예로부터 우리 조상들은 이런 짐승들과 더불어 살았습니다. 키워서 농사짓는 데 써먹고, 살림 밑천 삼기도 하고, 큰 잔치 생기면 잡아먹기도 했습니다.

이런 가축들 보기가 어려워졌습니다. 농촌 붕괴의 현실이지요. 아무리 짐승이라지만 주인들과 살아가면서 쌓은 정분 따위가 있었건만, 이제 그 가축들은 모두 도시의 음식점에서 식재료가 되어 있을 뿐입니다. 명품名品이라는 수식어를 달고 무슨무슨 한우, 보신탕, 삼계탕, 오리탕, 숯불구이, 생고기의 재료로 소비되고 있습니다. 농민들의 생활문화와 밀접했던 이 가축들 이야기를 해보자니 몇 해 전 많은 이들의 심금을 울린 독립영화 〈워낭소리〉

가 떠오릅니다. 영화는 노부부의 느리고 우직한 삶에 오래도록 현미경을 대고는 사람과 소의 관계가 '소비자와 명품 한우 고기' 이상의 끈끈한 것임을 깨닫게 해줬지요.

소, 참 사람과 가까운 동물이었습니다. 송아지의 탄생에서, 어미소를 따라다니며 중소로 성장했다가, 코뚜레를 끼면서부터 논밭을 누비는 노동력이 되고, 맨 마지막엔 육신을 바쳐 인간들의 식탁에 오르는 동물. 성장기를 농촌에서 보낸 사람이라면 소를 먹이기 위해 풀베고, 쇠죽 끓이고, 겨울이면 쇠죽 쑤는 아궁이에서 고구마 구워먹는 추억을 가지고 있을 터입니다. 그랬던 소가 무용지물이 됐지요. 경운기와 트랙터가 들어오면서 쟁기질이 필요 없어지면서 소의 효용이 떨어진 듯합니다. 대규모 축사에서 소를 키우는 분들을 제외하면, 요즘 농촌에서 소를 키우는 분들을 보기 참 어려워졌습니다.

몇해 전 전남 담양군 봉산면 와우리에 사는 설장구 명인 김동언 씨[1940~]에게서 〈소타령〉이라는 노래를 들은 적이 있습니다. 가사가 절묘합니다.

"생길 데가 전히 없어/소 몸에가 생겨갖고/벽도 없는 맨들방에/쟁기 보습을 걸머지고/저 건네라 묵정밭/한골 갈고 두골을 가니/잔뼈가 다 울린다/세골 갈고 네골 가니/굵은 뼈뼈가 다 울리네/집안 안을 들어오니/좋은 콩 쌀죽을 쒀놨거든/먹을 정이나 전히 없네/하루 굶고 이틀을 굶고/사흘 나흘을 굶고 나니/날 당산에다가 날 매놓고/동네 어른들 모여앉아/날 잡자고나 의논헌다/손이 있어서 빌어를 볼까/말을 해서 빌어볼까/나는 죽네 나는 죽어/속절없이 나는 죽어/잡을락은 잡으시오마는/요 내 껍닥[껍질]을 좋게 벗겨/의관[衣冠] 관자[貫子]나 맞추시고/요 내 살을 곱게 떠서/골골 사람 나눠 잡솨/요내 뼈따구 잔뼈 굵은뼈/함부로 덤부로 버리지 말고/저 건네라 소쿠리 명당에/시사[時祀] 잔치나 부쳐주소."

146 한민족의 소리를 만나다

3. '고아장가' 들던 시절 마을에서   4. 풍물판에서 쇳가락을 배우던 시절
5. 명인이 되어 공연하는 모습

소가 화자話者인 노래지요. 죽어라고 일만 해온 소가 동네잔치 제물이 된다는 이야긴데, 죽어서도 인간 세상에 쓰임새 많은 자기를 잘 써달라고 당부하는 내용입니다. 측은지심惻隱之心을 발동하게 하는 이 노래의 정서적 배경은 농경사회의 마을 공동체입니다. 묵정밭을 쟁기질 하는데 긴요한 노동력으로 쓰이는 소의 모습, 헥헥거리고 집 외양간에 들어오는 소의 모습, 수백 년 묵은 당산나무 아래서 마을 대소사를 논의하는 어르신들의 모습, 깽매깽매 풍물을 치며 당산제를 지내는 마을 분들의 모습이 이 노래에 담겨 있습니다.

"요새는 이런 노래 아는 사람 암도 없을 것이여. 어렸을 때 옛날 어른들한테 귀동냥으로 들었던 노래지." 김동언 씨는 바로 이런 분위기에서 평생을 살아온 분입니다. 안태 고향인 담양 봉산면과 외가인 순창 금과면은 전라남도와 전라북도를 격한 도계道界이지만 실제 거리는 20리쯤 될까, 승용차로 10여 분 거리입니다. 이분의 재주는 외탁이었지요. 목청 좋고 총기 있어 노래를 잘 불렀던 어머니를 닮았습니다. 외삼촌 박노경 씨는 순창 금과면 근동에서 날리던 쇠잡이였습니다. 꼬맹이 때부터 외가를 드나들면서 몸에 배인 재주와 신명으로 풍물판을 기웃거리기 시작했습니다. 작고하신 김오채 전경환 명인의 문하門下에서 익힌 설장구 솜씨는 훗날 '호남 우도농악'이라는 분야로 무형문화적 가치전라남도 무형문화재 제17호를 인정받습니다. 마을에서 한 가락하는 재주꾼에서 명인名人의 대열에 들어선 것입니다.

1970년대생보다는 1960년대생이, 또 그네들보단 더 생년이 빠른 세대일수록 가난한 청춘의 역정이 없을 리 없습니다. 김동언 명인의 개인사를 딱 두 줄로 정리하자면 "이 일 저 일 안해본 게 없다" "고아孤兒 혼인을 했다"입니다. 뻥튀기 장사, 죽물 장사 등 생업을 위해 고생스러운 젊은 시절을 살았습니다. 무지막지하게 고생했던 유년기와 청년기를 지나온 이 명인도 이제 70대에 접어들었습니다. 자연에 순응하며 곱게 늙어가는 할아버지의 시간들이련만, 이 분 마음속엔 아직도 한여름 가마솥처럼 설설 끓는 열정이 있습니다. 전통을 살리고 싶은 것입니다. 엄청난 물질적 풍요를 누리는 지금 세상보다 가난하고 어려웠지만 그 옛날 사람살이의 향수를 되살려보고 싶다는 것입니다.

그래서 하는 일이 지역 전통문화 활성화 운동입니다. 해년마다 삼복더위를 마다하지 않고 광주 지산 용전 들녘에서 백중놀이를 재현하는 것도 그런 열정의 산물입니다. 세벌 김매기만드레가 마무리될 무렵, 마을에서 제법 재력 있는 쥔네가 막걸리 내놓고 죽 쒀서 일꾼들의 노고를 위로하던 전통. 그런 것이 있었노라, 기억을 일깨우고 한판의 난장을 펼쳐보고 싶은 것입니다. 당신이 살고 있는 마을담양 봉산면 와우리에서 추석이면 벌어지는 풍물패의 난장, 마을 아낙들이 펼치는 강강술래의 장관도 이 할아버지의 부지런한 '프로모터 역할'로 가능해진 일이었습니다.

숙원사업으로 마련한 전수관傳授館이 남은 인생을 가장 많이 보내는 공간입니다. 이 분처럼 말년이 요란스럽지 않을 정도로 활동적인 분들이 참 좋아 보입니다. 그 일을 하면서 행복해 하면 더할 나위 없을, 적절한 노동과 유희의 생활. 젊은 후진들을 키워내고, 마을 아낙들에게 풍물을 가르치고, 풍물패가 난장을 벌이는 판이면 청년처럼 펄떡이는 김동언 명인의 모습을 볼 수 있습니다. 땀을 뻘뻘 흘리면서도 신내린 무당처럼 설장구를 운용하는 그의 연희는 들판이건 무대건 가리지 않습니다. 1차 산업시대에 태어나 3차 산업시대를 지나가는 한민족의 역사, 그 가운데 이 한국의 아버지가 계십니다.

배통이 애릴라믄 똥장구통이나 애리고

김용현의 액막이타령

현대사회는 개인화되는 사회입니다. 개인들이 이루는 가장 기초단위인 가족 구성원의 수가 평균 4명 안팎. 2000대에 결혼한 부부가 2명의 자녀를 두는 것이 평균치지만, 1명을 출산하거나 자녀가 없는 부부도 많습니다. 10억이 넘는 인구를 자랑하는 중국도 출산율이 떨어지면서 '소황제들'이 늘었습니다. 우리 사회 역시 하나씩만 낳은 자녀는 금이야 옥이야 키워집니다. 대여섯 이상씩 낳아 한상에서 먹고 한 이불에 자고 뒹굴던 때, 시끄럽고 북적였지만 어울려 사는 맛이 있었던 때는 아득한 기억 속입니다.

개인화되는 사회는 그대로 장점이 한둘이 아니겠지요. 봉건적 권위주의와 복종문화가 없고, 여성이라고 해서 차별받거나 권익이 억압되지 않고, 개성이 존중되며, 시집살이처럼 불합리한 관행도 많이 줄었습니다. 그렇다고 단점이 쏙 빠졌다고 할 순 없습니다. 노인들에 대한 존중과 관심이 현격히 줄어들었고, 자녀 교육에 쏟는 에너지와 비용이 지나치게 늘었으며, 사람과 사람 사이의 불안요소는 훨씬 커졌습니다.

집단적인 사회와 개인화된 사회를 나누는 기준은 여럿이겠지만 잉여생산

1, 2. 말년에 정다운 부부   3. 마을 사람들과 놀이판에서   4. 마을에서 풍물판

의 증대, 즉 물질적 풍요가 중요한 분기점이 될 것 같습니다. 농업처럼 1차적인 생산물을 확보하기 위해 서로서로 협력하지 않아도 되는 사회. 정보와 지식을 활용해 개개인의 수입이 차별화되는 사회. 그런 사회에서는 '공동체'라는 말이 멀게 느껴집니다. 기초생활을 보장받지 못하는 극빈자들, 육지에서 사는 사람들에 비해 상대적 소외감을 안고 사는 섬 사람들, 정상인과 달리 유폐된 삶을 사는 수인囚人들, 삶의 조건이 그런 분들은 '공동체'라는 말을 하지 않아도 잘 뭉치고 단결합니다. 경제적 풍요를 못 느껴야, 소외감을 공유해야, 사람과 사람끼리 부대껴서 생겨나는 훈훈함이 있는 것인가 봅니다.

함께하지 않으면 목표를 달성할 수 없었기 때문에 힘을 합쳤던 농촌 사회도 이제 공동체성을 잃어가고 있습니다. 용불용설用不用說처럼, 두레와 품앗이 전통도 안 쓰다 보니 쓰는 법을 잃어버렸습니다. 요모조모 유용한 것인데도 쓰지 않다 보니 개인화가 편해졌습니다. 사실, 개인화라는 현재의 모습은 모두가 원해서가 아니라 살다 보니 자연스레 정착된 것이죠. 집집마다 TV가 보급되기 전에는, 집집마다 자동차를 갖기 전에는 이러지 않았습니다.

지리산을 등지고 섬진강을 앞에 둔 배산임수의 명당明堂에 자리한 이 마을은 지금도 130여 가구가 옹기종기 모여 앉은 전형적인 농촌. 대대로 호남 좌도 풍물굿의 전통이 이어져온 이 마을도 현대사회의 개인화 흐름에 따라 살아가던 중이었습니다. 모두 "사라져간다 잊혀져간다"고 하면서 개탄하고 있을 때 몸소 실행한 사람들이 있었습니다. 구례군의 무형문화 자원을 찾던 구례군청과 이 마을에 전해지던 풍물 12채를 복원한 상쇠 김용현 씨1929~ 가 만난 것입니다. "마을굿 한번 만들어보자"는 분위기가 생겨나면서 옛날 한 가락하던 마을 사람들이 하나둘 모여들었습니다. 마을 앞을 잔잔히 흐르는 물처럼 생겼다 해서 '잔수농악'이라 이름한 이 마을의 풍물은 점차 응집력이 생겨났습니다.

불쏘시개만 있으면 활활 타오를 수 있는 잠재력을 지닌 것. 그것이 마을을 터전으로 한 공동체문화입니다. 잔수농악패에 참여한 신촌마을 사람들은 이구동성으로 말합니다. "이 농악을 하다 보니까 자주 만나고, 그러니까 서로 어려움도 같이 나누고 즐거움도 같이 나누고. 서로 이해하고. 이런 것이 그전과는 달라져서 한 사람씩이라도 더 나오고 싶어하고 그래요."(이현호) "이렇게 한판씩 놀고 보면은 엄청 기분이 좋아요. 진짜 날아갈 것 같아요. 봄날에 비 개어 가지고 활짝 갠 날처럼. 기분이 진짜 통쾌하죠."(정분남)

"요즘은 가족 친척들도 뿔뿔이 흩어져서 남이나 비슷한 시대가 안 됐습니까. 근디 우리 마을은 김용현 회장님이 잔수농악을 복원하셔 가지고 더불어 살면서 아주 재밌게 살고 있습니다."(김문창)

잔수농악은 이제 구례를 대표하는 문화자원이 됐습니다 2010년 중요무형문화재 지정. 60여 명이 한데 어울려 펼치는 굿은 장관이었습니다. 백발 성성한 80객의 상쇠는 그런 좌장의 면모를 보여줬습니다. "쇠소리가 나면 정신이 팍 쓰여. 우리 가락은 예술적인 그런 가락은 아니지만, 보시다시피 사물놀이 이런 것은 예술적으로 아주 프로급들이 하는 거지만 저희들은 대대로 내려오면서 어르신들 가락을 머릿속에서 익혀갖고 나온 가락이죠."

개인화되기 전에는 사람들이 패를 이루었고, 기예능도 분화되기 전에는 종합적이었습니다. 풍물패의 우두머리인 상쇠는 꽹과리를 치면서 진을 이끌었고 선소리를 메기기도 했습니다. "어허 여허~ 여루 상사뒤요/(앞소리) 여보시오 농부님네 이내 말을 들어보소/아나 농부여 말 들어/서 마지기 논배미가 반달만큼 남았네/(뒷소리)어허 여허~ 여루 상사뒤요/어럴럴~럴 상사뒤요/저건너 갈미봉에 비가 묻어 젖어온다/우장 삿갓을 허리에다 두르고 모를 심세/어허 여허~ 여루 상사뒤요." 풍물패가 앞장서 두레로 모내기를 하던 시절의 〈농부가〉(모심는 소리)입니다. 농촌 가운데도 궁벽진 산촌이었던 마을, 천수답도 귀해서 논농사보다는 채소밭 농사로 먹고살았던 가난한 마을이었지만 그 옛날엔 저런 노래 부르며 어울려 살았습니다.

마을에서 벌어지는 굿판을 보고 있노라면 신이 절로 납니다. 굿을 치는 사람들도, 구경나온 마을 사람들도, 촬영하는 사람들도, 들썩들썩 합니다. 젊은 아낙들이 "스트레스 확 풀린다"는 말을 할 만하고 노인들이 소외감 느낄 틈이 없을 듯합니다. 죄었다 풀었다, 몰아쳤다 놔줬다, 능수능란하게 대오를 이끄는 할아버지 상쇠의 얼굴에도 생동감이 가득합니다. 꽹과리를 내려놓고 한번씩 불러주는 '액막이 타령'은 옛사람들의 해학과 지혜가 담겨 있습니다. 내 몸 아픈 걸 다른 물건으로 대신 막아달라는 내용이지요. "액底막자 액막자/(앞소리)머리빡이 애릴라믄아프려면 벼름박담벼락이나 애리고/액막자 액막자/앞꼭지가 애릴라믄 소두박솥뚜껑 꼭지나 애리고/액막자 액막자/뒤꼭지가 애릴라믄 뫼묘꼭지나 애리고/액막자 액막자/눈구녁이 애릴라거든 창문구녁이 애리고/액막자 액막자/콧구녁이 애릴라거든 해치구덕수챗구멍이 애리고/액막자 액막자/목구녁이 애릴라믄 고래구녁이 애리고/액막자 액막자/귓구녁이 애릴라거든 담뱃대구녁이 애리고/액막자 액막자/손바닥이 애릴라거든 방바닥이나 애리고/액막자 액막자/손구락이 애릴라거든 젯구락젓가락이나 애리고/액막자 액막자/모가지가 애릴라믄 장구통 모가지 애리고/액막자 액막자/젓통이 애릴라거든 쳇바쿠통이나 애리고/액막자 액막자/젖꼭지가 애릴라믄 담뱃대 꼭지나 애리고/액막자 액막자/배통이 애릴라믄 똥장구통이나 애리고…"

고령의 할아버지는 요즘도 일손을 놓지 않고 있었습니다. 마을의 전략 종목인 감농사를 하고 있습니다. 집 뒤란에는 100평 남짓한 채전밭도 있습니다. 마을 이웃으로 살다가 부부의 연을 맺은 임삼순 할머니1936~ 와 늘 함께지요. 부부는 한시도 떨어지지 않고 같이 다녀 주위 사람들이 시샘할 만큼 정다워 보였습니다. 저만큼 노년을 당당하고 다정하게 보내는 것도 큰 행복인 듯싶었습니다. 할아버지의 마지막 꿈은 물론 당신이 가진 기능을 오롯이 전수하는 것, 그리고 잔수농악이 후대로 계속 이어지는 것입니다.

일년은 열 두달 과년은 열 석달
무병천수 거느리길 빕니다

이준희의 걸군농악

공무원 시험 경쟁률이 치솟고 있습니다. 교육대학이 수능 수험자들에게 선망의 대상이 됐다는 소식도 들립니다. 정주定住보다는 이직移職이나 유목遊 牧이 점차 일반화되면서 많은 사람들이 안정적인 일터, 혹은 예측 가능한 미래를 열망하는 것이겠지요. 앞으로는 한 직장에서 30년 이상을 봉직할 수 있다는 것 자체가 기적이라고 할 만큼 변화의 속도가 빨라질 것 같습니다.

한동안 안정적인 정주지定住地였던 방송가에도 2008년 하반기부터 2년 남 짓 격랑이 일었습니다. 1990년대 후반 IMF 시대에 이어 10년 만에 찾아온 미국발 경제위기는 태풍이 한해 농사를 삼키듯 방송가를 덮쳤습니다. 태풍 을 피하는 과정에서 고통분담, 비상경영, 구조조정, 명예퇴직, 안식년제 등 의 이름으로 안전지대가 허물어졌습니다. 고통분담이라는 개념 속에는 고 령자, 고연봉자들의 우선적인 손해와 피해가 담겨 있었지요.

지금 노인도 젊은 시절이 있었고, 젊은 사람이 늙어 고령자가 되는 것은 만물의 필칙입니다만, 막상 피해가 자기에게 닥쳐온다면 담담하게 받아들이

기가 쉽지만은 않을 것입니다. 나이가 들어서도 당당하게 살기 위해서는 많은 준비를 해야 할 것 같습니다. 웬만한 정도의 경제력, 배우자와 도타운 관계, 건강한 몸, 즐겁게 소일할 거리나 능력, 이런 요소를 갖추지 못한다면 힘없고 초라한 노년을 맞겠지요. 당당하게 나이듦, 남의 일이 아니라 하루하루 시간을 보내는 모든 젊은이들이 미래에 겪어야 할 숙제입니다.

한민족의 발자취가 남아 있는 곳곳을 다니다 보니 아무래도 고령자를 많이 만나게 됩니다. 아니, 고령자를 먼저 만나야겠다는 생각을 하게 됩니다. 전통의 원형질原形質에 접근하려면 한 살이라도 더 드신 분들께 듣는 게 구체적이고 생생하기 때문입니다. 지금은 쓰지 않는 물건, 사라져버린 생활도구조차 그리움의 촉발제인 시대. 정말 여생이 많이 남지 않은 분들을 주인공으로 만나면 "인생의 황혼을 어떻게 보내야 할 것인가?" 헤아려보게 됩니다.

전남 진도군 지산면 길은리 이준희 씨1926~. 80세를 한참 넘긴 고령의 할아버지인데도 그리 노인 냄새가 나지 않는 분입니다. 백발 성성한 노인이 진도 양북을 메고 어쩌나 역동적으로 북춤을 추던지요. 바람 끝이 매시라운 2009년 2월, 해년마다 정월대보름이면 집집마다 돌면서 매구埋鬼; 마을굿, 풍물를 치는 길은리를 찾았습니다. 마을회관 앞에서 마을 풍물패가 한바탕 굿판을 벌이고 집집이 돌면서 마당밟이를 했습니다.

"전라남도 진도군 지산면 길은리 김OO 씨 댁이올시다/일년은 열두 달이요 과년은 열석 달/가정이 전부 무병하고/금년 농사도 잘 되어서/앞으로 천수 거느리고/대대자손 부자가 되기를 빕니다~."

축원 덕담소리가 마당에 울려 퍼지고 집을 한바퀴 돈 치배들은 방으로 들어가 거실, 안방, 작은방을 돌면서 한바탕 굿을 쳐댑니다. 쥔네는 땀을 쭉 흘린 풍물패에게 술과 먹을거리를 내와 왁자한 먹을판이 벌어지지요. "옛날

1, 2, 7. 회혼례(결혼 60주년)를 앞두고 사별한 할머니와 함께

에는 정월 설 막 쇠면은 보름^{정월대보름} 넘고 한달, 2월 초하루까지 이렇게 계속해서 걸궁을 차려서 집집마다 돌았어요. 농사 잘되고 마을에 나쁜 일 없으라고 비는 것이지요. 집집마다 돌아다니면서. 정초에 굿을 울려주면 좋다고 해서, 다 옛날 어른들이 하던 것 보고 전통으로 하는 거요.”

요즘에는 풍물굿이라는 표현보다 ‘농악’이라는 표현이 굳어져 있는데, 진도 지역에서는 ‘걸군^{乞軍=걸궁}’이라고 부릅니다. 이 마을굿은 원래 옛날 군인들이 치던 군악^{軍樂}에서 비롯했는데, 마을 풍물패들이 연초에 집집마다 돌면서 운영자금을 마련했다고 해서 걸군^{乞軍=걸궁}이라고 불린답니다.

이준희 할아버지는 결혼 60주년, 회혼례를 몇 달 앞두고 할머니와 사별했습니다. 59년을 함께 살았으면 정말 후회없을 듯한데, 노인의 고적한 일상을 들여다보니 ‘아쉽지 않은 사별이 어디 있으랴?’ 싶습니다. 아들만 6형제, 모두들 “아버지 올라와서 같이 사십시다” 청하지만 노인은 고향에서 홀로 사는 것을 택했습니다. 당신이 마음 편하게 살기 위해서랍니다. 한 가족처럼 위해주는 마을 이웃들이 김치며 반찬거리 보내주는 힘으로 견딘다고 했습니다. 59년을 함께 산 배우자의 빈 자리는, 말로 표현할 수 없다 하셨습니다. “어디 갔다 오면 집이 아무도 없으면, 그때가 젤로 생각이 나고. 또 삼시 세끼 끼니때가… 한년^{항상} 해주던 밥 먹다가 내 손으로 끓여 먹을라니까 생각이 많이 나죠. 허전하죠. 같이 살 때는 어짠지 몰랐는데 막상 없고 보니 훨씬 더 그리워요….”

예향 진도의 노인치고 종합예인이 아닌 사람 없다 할 만큼, 북춤 잘추는 이준희 할아버지 역시 탁월한 소리꾼입니다. 소리맛을 감별^{鑑別}하기엔 턱없이 젊지만 여러 번 듣다 보니 60대의 소리와 80대의 소리맛이 다르다는 것을 느끼곤 합니다. 나이가 들어갈수록 소리는 익어가는 것인가, 잘 숙성하는 것인가, 들을귀 얇은 젊은이에게도 깊은 맛으로 들리는 것입니다. 진도에서 오래산 노인에게 들어야 제격이라는 듯, 이준희 할아버지가 밭에서 들려주는 '긴 소리'^{육자배기}는 웅숭깊습니다.

"고나 헤~/내가 널 다려~/언제 사자고 말이나 허더냐~/인연이 날 다려
~/사자 사자고 졸라~/조르던~/석 달 열흘이 못 되아~/그새 반대로~/고나
헤~/사람이 살면은~/몇 백 년이나 사더란 말이냐~/죽음으 들어서~/뉘라
노소^{老少} 있나~/살아~서/생전 시절에~/자기 맘대로 놀~/고나 헤~."

한 마을에서 태어나 80년을 넘게 살았다는 것, 그 자체만으로 기록적 혹
은 역사적이라는 느낌이 듭니다. 정주^{定住}보다는 생활의 편리를 따라서 잦은
이사와 변화를 일삼는 현대인의 눈으로 보니 그렇습니다. 거기서 일제 치하
도 겪었을 것이고, 분단, 한국전쟁, 군사정권의 통치, 비슷한 연배의 전직
대통령 서거까지 다 겪고, 무수히 많은 희로애락을 다 지켜봤겠지요.

자식들 키워 보낸 것 말고 무슨 대단한 기록물 하나 남긴 것 없지만, 선
대에게서 배운 대로 평생을 살아온 것뿐이지만, 그 노년이 잘 익은 벼이삭
같다고 느껴지는 이유는 아마 당신의 이런 겸양어린 말씀 때문인 듯합니다.
"뭐 굿이라고 배운 적이 있겠어요? 북춤이네 뭣이네, 잘하는 선생을 모셔다
놓고 배우거나 이런 것은 없고. 단지 내 즐거움에, 어른들 예전에 굿치면 따
라댕김시로 어깨 너머로 배우고 실제로 해보고. 이렇게 해서 내 즐거움에
이렇게 놀제. 내가 뭐 할 줄이나 안다요? 그란디 다른 사람들이 볼 때는 권
있이 논다고 그런디. 굿을 치면 답답하던 마음도 개운해지고 즐거움에 뛰고
나면 피곤하기는 해도 재미가 있지요…."

성주야 성주로다
성주 근본이 어드메뇨

이중신의 영광 영당마을굿

살다보면 자신감이 없어서 피하고 싶지만 피할 수 없는 통과의례가 있게 마련입니다. 전통의례도 그중의 하나지요. 설이나 추석 때 지내는 차례, 제사도 그렇습니다. 닥쳐오면 이런저런 참고자료를 뒤적이면서 알 듯하다가도, 몇 달 만에 다시 지내려고 보면 긴가민가 합니다. 후손으로서 마땅히 해야 할 과업 가운데 선영 봉사先塋奉祀를 무척 중요하게 여겼던 선대先代 유림들이 하나둘 떠나가고 있습니다. 사회가 어떻게 변하든 간에 끈질기게 지키고 살았던 의례들도 점차 '하는 것이 법'으로 바뀌고 있습니다.

의례란 게 고정불변의 것임이 분명한데 "이렇게 해도 되는 건가" 뒤통수 따가움이 느껴지곤 합니다만, 의례에서 정말 중요한 것이 형식인가 싶기도 합니다. 말하자면 기독교 신자가 유교식 전통의례에 참석하면 할 일이 없습니다. 그러나 그 의례에 참석하는 이유는 살아서 기념하는 사람들과 만나기 위해서지요. 돌아가신 분과의 추억, 살아있는 사람들과의 우의와 친밀감을 나누고 싶어서지요. 형식이 무의미하다는 게 아니라 정말 중요한 것은 기념

紀念과 공감共感이라는 것이지요.

집집마다 지내는 제사가 그렇듯, 마을 단위로 행해지는 굿의 풍습도 그런 것 같습니다. 매년 정월대보름이면 마을 당산나무 아래서 지내던 당산제나 마을굿도 없어진 곳이 훨씬 더 많습니다. 사라지게 된 경위는 비슷할 것입니다. 후손들이 선영 봉사先塋奉祀에 큰 의미를 부여하지 않듯이, 마을 전체의 안녕이나 풍년 농사가 더 이상 가치 있는 일이 아닌 것이지요. 우리 농촌도 집집이 모여서 살기 때문에 마을이라는 외형은 유지하고 있지만 생활 모습이나 인구는 이미 도시의 아파트처럼 개별화돼 있습니다. 어려운 일이 닥치거나 급한 도움이 필요할 때는 이웃의 존재감이 있지만, 일상적인 끈끈함이나 연대감으로 보자면 그렇다는 것입니다.

이렇게 개인화 개별화되는 현상을 당연하게 여기지만, 가끔 사람들끼리 인정이 철철 넘치는 광경을 보면 "저런 곳이 지금도 있나?"하는 생각이 들때가 있습니다. 바깥세상이 어떻게 변해가든 "우리 것은 이것이여!"라고 당당하게 주장하는 듯한 모습, 환하고 밝은 웃음으로 마을을 자랑스럽게 생각하는 모습 말이지요. 전남 영광군 묘량면 영당마을도 그런 곳입니다. 넉넉하게 한나절 한마당을 펼치고도 남을 만큼 풍물굿의 전통이 강하게 남아있습니다. 멀리서 보면 한옥촌韓屋村이 멋스럽게 펼쳐져 있는 한옥 보존마을, 한번 보면 언제든 다시 찾아가 보고 싶은 여운을 주는 곳입니다.

서울에서 전라도쪽을 내려다 봤을 때 섬진강을 경계로 오른편, 요즘 식으로 말하자면 호남선이 다니는 곳, 전남 영광은 호남 우도 풍물굿의 기세가 센 고장입니다. 그래서 풍물깨나 친다는 재주꾼들이 계속 배출돼 왔습니다. 주인 없는 공사 없고, 상쇠 없는 풍물굿이 이루어질 리 없듯, 영당마을에 굿이 굿답게 이뤄지고 있는 것은 이중신 씨1944~가 건재해서입니다. 고루한 전통의례의 신봉자일 것 같았는데 이 상쇠는 뜻밖에도 첫마디부터 열린 생각을 펼쳐놓았습니다. "옛날에 제사지내는 법도 뭐 귀신鬼神이 실제로

2. 4. 흥겨운 놀이판에서   3. 평범한 농부의 모습

와서 먹겠어요? 다 자손들이 모아서 화목하고 그러라고 제사법이 있는 것이지. 지금 우리 마을도 그래요. 보름 행사가 마을의 화목, 돈독을 다지는 그런 계기가 될 뿐만 아니라 대대로 이어온 행사라서 지금까지 안 없어지고 쭉 이어오고 있어요. 이렇게 일 년에 한 번씩 부락 사람들이 한데 모여서 머리 맞대고 점심이라도 먹응께 얼마나 좋아요?"

해년마다 음력 2월 초하룻날 지내는 마을 당산제 이야기입니다. 샘굿, 마당굿, 판굿, 성주굿, 철륭굿을 치면 정말 거기에 있던 악귀들이 물러날 거라고 생각해서가 아니라, 이제껏 지켜온 좋은 전통이니까 계속 잇고 있다는 말씀입니다.

"이 집 성주님을 달래보세 에~/에라 만수 에라 대신이야/대활연으로 설설이 내리소서~/성주야 성주로다 성주 근본이 그 어드메뇨/경상도 안동땅에 제비원의 솔씨 받어/건넌산 던졌더니 그 솔씨 점점 자라나서/황장목이 되었구나 도리 지둥이 되었구나/낙락장송이 떡 벌어졌구나/에라 만수 에라 대신이야/대활연으로 설설이 내리소서…."

이렇게 〈성주풀이〉를 해주고 〈액막이굿〉까지 해줘야 마음이 후련합니다.
사람사는 생활 거처 곳곳마다 하찮은 미물도 업신여기지 않았던 선대 예술가들이 하던 일. 마을굿을 매개로 해서 사람들이 모이고, 따뜻한 음식 차려 같이 먹고, 공동체의 일원임을 확인하는 것. 형식보다는 내용을 기념하는 것에 가치를 두는 것입니다. "집집마다 지신밟기 한단 말입니다. 그 액맥이를 하고 나면 마음이 얼마나 편한데요. 전부다 그때는 술안주 내놓고 정말 잘 먹어요. 아무리 어렵더라도 이런 행사하고 마을에 나갔던 분들도 다 와서 같이 해서 마을 화합하고 돈독하고…"
마을 현장에 가서 보면 확실하게 느껴지는 것이 종합예술성입니다. 들노래 소리꾼이다, 상쇠다, 상여소리 소리꾼이다, 무슨무슨 명인이다, 무슨무슨 전수자다 이수자다, 이렇게 직선적으로 나눠지지 않는다는 것입니다. 들노래 메기는 사람이 상여소리도 메기고, 마을 상쇠 노릇까지 하는 경우가 흔합니다. 한 사람이 '북치고 장구치는' 게 흔한 일이었던 겁니다. 통일統一보다는 분화分化 지향적일 수밖에 없는 현대사회와는 정반대의 모습이죠.

그래서일까, 마을 속에 사는 종합예인은 정감 있어 보입니다. 노동하는 일꾼이라는 자신의 정체성을 버리지 않고 있어서 말입니다. "나는 예술이 그게 좋다구요. 아무리 힘들고 몸이 고되도 소리하거나 쇠나 들거나 하면 언제 그랬냐는 식으로 되거든요. 다만 (젊은 사람들이) 배워서 내가 이렇게 했으면 쓰겠다 하는 사람이 나와줬으면 되겠어요. 그런데 그런 사람들이 없으니…" 수년 전 위암 수술로 기력이 많이 떨어졌지만 마을의 역사를 잃고 싶지 않은 영당마을의 종합예술인 이중신 씨의 소망은 그렇게 담백합니다.

건구건명은 경기도 하고도 양주시 축원 덕담 드립니다

황상복의 양주 농악

　"백정은 버들잎을 물고 죽는다"고 했고 "한량은 죽어도 기생집 울타리 밑에서 죽는다"고 했습니다. 그만큼 사람은 죽을 때까지 평소에 하던 버릇을 고치지 못하는 법이지요. 이 말은 경기도 양주에서 평생을 쇠잡이로 살아온 황상복 씨(1958~)를 표현하기에 똑 떨어지는 말입니다. 미군 장갑차에 치여 숨진 미선이 효순이의 아픈 기억이 떠오르는 곳 경기도 양주, 서울 아랫동네인 줄 알았더니 한참 윗동네였습니다. 의정부시와 머리를 맞대고 있는 경기도 북부지역이었습니다. 군인 줄 알았더니 시가 된 지도 오래였습니다. 양주 하고도 광적면 석우리, 마을은 농촌냄새보다는 상업지역 냄새가 물씬한 곳이었습니다. 이 마을에서 농악으로 잔뼈가 굵은 황상복 씨도 상가 건물을 갖고 있는, 엄밀히 말하면 전직 농민입니다. 온마을을 휘돌던 풍물굿은 지정문화재가 되면서 '농악'이 되었고, '농악'이 되면서 농악은 농민의 것이 아니라 예능인의 것이 되었습니다.

　마을굿이 농악이 되었다고 기억으로만 남은 것은 아니었습니다. 잽이들

과 어우러진 타악은 강렬한 상승작용을 일으켰고, 잠자던 흥과 신명을 깨웠습니다. 농악패가 논둑을 돌자 마을에는 그 옛날 두레패의 재현을 보는 듯, 장관을 이루었습니다. 이만한 규모를 갖춘 화려한 풍물패를 최근 들어 본 적 없었습니다. 촬영 한번 하자고 청했더니 야무지게 준비를 해놓으신 것입니다. 판을 펴는 준비는 상쇠의 국량입니다. 60여 명의 농악대 총출동이었습니다. 이미 '벌여놓은 굿'이요 '벌인 춤'이었습니다. 초겨울 매운바람도 뜨겁게 되살아난 농악패의 기세를 누르지 못했습니다. 모처럼 마련된 판에서 농악대는 신명에 들떠올랐습니다.

"여우는 꿈에도 닭만 보인다"더니 경기도 양주 바닥에서 상쇠로 이름을 날린 황상복 씨에겐 이런 판이 반갑기만 한 듯싶었습니다. 신들린 듯 꽹과리를 치며 대열을 이끌어갑니다. 풍물굿의 시작을 알리고 마을의 안녕과 평화를 기원하는 고사덕담告祀德談 소리메나리부터 모내기할 때, 논맬 때 했던 옛 두레패의 모습을 고스란히 재연했습니다. "축원 갑니다/에~ 덕담 가오/건 구건명은 경기도 하고도 양주시/양주시 하고도 광적면인데" 갱깨갱깨갱개개갱~ "오늘 여기 오신 여러 내빈님들/일년 액운과 풍수를 도와달라고/축 원 덕담드립니다~." 이래놓고 한바탕 굿을 치고는 〈액막이 소리〉로 이어집니다.

황상복 씨는 어린 시절부터 풍물판에 재주를 보인 타고난 재주꾼이었습니다. 공부는 하기 싫고 빈 냄비 뚜껑이 있으면 그걸로 뚜드려댔답니다. "이게 제일 재미나는 게요. 국악 중에도 농악이 제일 재미나. 오채풍물에서 제일 빠른 장단 치는 게 있거든. 그거엔 춤 안 추는 사람이 없어. 참 많이 했어요. 내가 공부를 못했어. 집안 형편이 넉넉지도 못하고 또 지가 하기 싫었으니까 안 했겠지. 왜냐면 애들 적에도 이걸 좋아했어요. 그래서 조그만 했을 때도 이 깡통, 그때만 해도 깡통이 귀해. 그걸 치고. 옛날엔 냄비 뚜껑 있거든 옛날 냄비 뚜껑…"

1938년생이니 어느덧 70대 초반을 넘어서셨습니다. 그런데도 할아버지 냄새가 나지 않습니다. "씨도둑은 못한다"고 했지요. 황상복 씨는 자타가 공인하는 그 옛날 광대의 DNA를 가졌습니다. 마을 분들의 증언입니다. "우리 황상복 회장이 할아버지 때부터 3대째 양주농악을 보존한 사람입니다. 우리 양주농악 역사가 115년째가 됩니다. (최승덕, 양주농악 보존회)" "저 양반은 무엇이든지 다 능력이 있는 분이라구. 내가 그래서 저 형님을 위해서도 이 농악판에를 나오고 있는 거에요. 워낙 재주가 많으신 분이라 동네 큰일은 다하시죠. (이무세, 양주농악 보존회)"

그도 그럴 것이 농촌에 살고 있지만 이 양반에게 배워간 제자들이 적지 않습니다. 풍물의 고향이 농촌임에도 우리나라에서는 고유의 풍물보다는 '사물놀이'라는 가공품이 더 유명한 문화상품이 되어 있지요. "가까운 무당보다 먼 데 무당이 더 영험하다"는 말처럼, 진짜 원본^{가까운 무당}보다 세련된 파생상품^{먼 데 무당}에만 눈이 쏠려있는 것은 아닌가 모르겠습니다. 본래의 가치, 110년이 넘는 세월 동안 전승력을 가져온 풍물의 원형성은 얼마나 소중한 것인지요.

현대 사회는 분화의 시대이지요. 전문화, 세분화, 표준화되어 있습니다. 과거로 갈수록 미분화^{未分化} 사회였습니다. 미분화 사회의 특성은 종합성에 있지요. 마을에서 온갖 것을 다했습니다. 농사, 관혼상제, 애경사, 음식문화, 의식주를 모두 자급자족했지요. 전문점이 없었습니다. 한 마을에 무당, 상쇠, 들노래 선소리꾼, 상여소리 선소리꾼, 백정, 모든 직종이 다 살았지요. 초상이 나든, 결혼식이 있든, 아이를 낳든, 칼부림이 나든, 그 어떤 어려운 일이 있어도 한 마을에서 다 처리할 수 있었습니다. 지금처럼 뷔페식 상차림은 아니었을지라도 여러 아낙들이 손을 모으면 있는 음식 없는 음식이 다 차려졌습니다. 마을 사람들이 영위했던 문화 역시 미분화 종합예술이었습니다. 상쇠가 선소리하는 경우는 흔하디흔한 일이었습니다. 현대 국악계

2, 3. '광대'로 이름을 떨치기 시작했던 젊은 시절

처럼 판소리하는 사람, 기악하는 사람, 춤추는 사람으로 분화된 것은 어쩌면 공동체 파괴 이후의 분화 양상입니다. 전통시대에는 몸속에 온갖 재주를 다 갖고 있는 광대廣大들이 쌔고 쌨습니다.

그래서 마을 대소사에 앞장서는 상쇠 치고 여러 재주 안 가진 사람이 드뭅니다. 소리도 발군이지요. 두레패의 중심으로, 온갖 메기는 소리도 그의 몫이었습니다. 모심을 때, 초벌 논맬 때, 두벌 논맬 때, 만두레 할 때도 그는 선소리를 했습니다. 요즘말로 토털 엔터테이너total entertainer였지요.

"하나에 훨훨 나 하날기로구나/하나 하면은 둘/둘이라면은 셋/서이냐 넷이요 너이면은 다섯/다섯 하구 여섯 여섯이냐 일곱/일곱이냐 여덟 여덟 여덟 아홉/아홉 하고는 열 열남은 시절에 또 하나/하나냐 둘이요 둘이면은 셋/셋이로구나 넷 넷하고 다섯…" (모심는 소리).

풍물을 치면서 몸이 달아올라서 방아타령초벌 논매는 소리을 이끕니다.

"(뒷소리)에헤 에헤요 에히 헤~ 야~/에에 에야 에이 좋소/(앞소리:황상복) 좋다 좋았구나 북경은 얼마나 먼데/한번 가면은 에루화 왜 못 오나/에헤 에헤요 에히 헤~ 야~/에야 에야 에이 좋소/좋다 좋았구나 삼십이 썩 넘어나 늙었구나/다시 젊지는 콧집이 앵돌아다시 젊어지기는 영 글러버렸다는 뜻 좋네/에헤 에헤요 에히 헤~ 야~/에야 에야 에이 좋소…"

신식 세상이 되면서 사라져버린 구식텍텍 묵은 노래들도 불러주십니다. 한 시대의 오락娛樂이었던, 지금은 그 세대 영감님들이나 공유할 수 있는 추억물이라면서.

"동그랑 땡 어기여차 디여라 내 사랑아/황새란 놈은 다리가 길어 우편배달부로 돌려라/동그랑 땡 어기여차 디여라 내 사랑아/까마귀란 놈은 시꺼머니 굴뚝쟁이로 돌려라/까치란 놈은 허영구도 검으니 글방 선생으로 돌려라/모기란 놈은 쏘기를 잘 쏘니 일차 포수로 돌려라/비둘기란 놈은 눈이 뻘거니 술주정뱅이로 돌려라/딱따구리란 놈은 오동나무도 잘 뚫으니 나막신쟁이로 돌려라/참새란 놈은 말을 잘하니 변호사로 돌려라/동그랑 땡 어기여차 디여라 내 사랑아…"〈동그랑 땡〉 "은을 주려고 나왔느냐 금을 주려고 나왔느냐/은도 없고 금도 없어 담바구씨를 가지고 왔네/저 건너 저 산 밑에 이 ○○ 밭을 갈아/담바구 씨를 뿌렸더니 낮이면은 태양을 쐬고/밤이면 참이슬 맞아 곱게곱게 길러다가…"〈담바구타령〉

장구 때리면서 쾅쾅하면 재미나던 그 노래. 〈가요무대〉에서도 〈국악 한마당〉에서도 들을 수 없는 그 노래들입니다.

그런 그도, 이제 추억이 된 시절을 인정합니다. 당장이라도 돌아가고 싶은 그 인정의 시대를 뜨겁게 추억하면서도, 어쩔 수 없는 현재를 수긍하는 것입니다. "농악대는 아침 새벽에 나갔다가 하루에 두집씩 두레일을 해요. 마당거리가 있어 마당거리. 마당거리가 있는데 우리는 그전에 할 때는 다른 농기가 우리 동네로 오면 불려가지고 마당거리를 하는 거야. 마당거리는 그냥 한시간 동안 와서 노는 거야. 그때 술이 어딨어? 내일 먹을 술 그냥 건놈의 것, 보리술이 아주 걸어. 넘어갈 때 목에 탁탁 걸려. 그것들 먹고 뛰고… 하여튼 이 농악을 내가 좋아했어요. 그러니까 내가 늦게까지도 이걸, 죽을 때까지 해야지 어떻게 해…."

04

남성

여아 어려령 어헝 어려려 허엇!

고태오의 말모는 소리

"사람을 낳으면 한양으로 보내고 말을 낳으면 제주도로 보내라"는 말이 있습니다. 큰 인물이 되려면 팔도의 인재들이 모여들어 문물이 번성한 한양만한 곳이 없고, 말의 대기大器가 되려면 역시 제주도만큼 재주있는 말들이 모인 곳이 없다는 뜻이지요. 제주도는 내륙 평야지역의 환경과 달리 논과 소가 희귀합니다. 대신 밭과 말이 지천이지요. 제주도는 '관광'이라는 테마로 일찌감치 눈을 떠서 지금처럼 특별 자치도가 되었지, 도시 마케팅을 고민하지 않고 있었더라면 두메산골처럼 가난한 땅으로 남아있을지도 모르겠습니다. 관광도시 제주의 속살 속으로 들어가면 어떻습니까. 나지막한 담장, 한없이 펼쳐진 밭, 옹기종기 모여앉은 낮은 집들… 서민들의 생활 풍경은 그렇게 소박하고 단정합니다.

조랑말의 집산지였던 제주지역도 이제는 잡종말들이 다 모인 곳이 됐다지요. 한라산 자락에서 방목放牧으로 키우는 조랑말떼가 이국적인 정경을 선사했던 것도 옛말인 듯합니다. 관광용 외래종 말이 지천이지요. 그나마 제주도니까 말떼들의 풍경을 볼 수 있는 것이려니 합니다. '몰馬테우리'라 불리는 사람이 있습니다. 말떼를 돌보는 직업입니다. 제주도에서 한평생 '몰테우리'로 살아온 고태오 씨(1928~)는 '제주도 말의 역사'를 꿰뚫고 있는 증언자이며 '몰 모는 소리'라는 이색 토속소리의 가창자입니다.

　말테우리란 말몰이꾼의 제주도 방언이랍니다. 지금은 희귀한 능력을 가진 전문직종(?)이 됐지만 고태오 할아버지에겐 벌어먹고 살기 위한 생업이었습니다. "비가 오나 눈이 오나 내 직장 모냥으로 날이 붉으민 내가 몰을 보겠다, 그런 결심에 의해서 했지. 몰이 싫었으면 추운날 에이 내가 추운디 뭘 몰 보레 가냐 몰 치워버리지 이렇게 할 텐데. 몰 보러 다니는 것을 싫어하지 않고 아 이게 재산이다 말도 이거 재산이다 하면서 저도 살기 위해서 이렇게 해왔습니다."

　아버지를 따라다니며 말을 키우기 시작한 것이 일곱 살부터. 제주도에 피바람을 일으켰던 4·3항쟁의 와중에 키우던 말을 다 잃어 버린 적도 있었습니다. 30대 중반까지 군대에서 하사관으로 근무한 것을 빼고는 대부분의 시간을 말 키우는 업으로 살았습니다. 내륙지역의 머슴처럼 제주지역에서 말모는 사람은 천대받는 일이었습니다. 뒤늦게 자부심을 얻었지만 평생을 업으로 살아오기까지 힘겨운 세월들이야 다 말로 못한답니다. 그런 사연 때문인지 고할아버지의 부인은 육지에서 남편의 가치를 알아보고 온 손님을 반가워하지 않았습니다.

　'마지막 몰테우리'라는 제목으로 여러 차례 신문과 방송에 오르내렸던 인물, 제주도의 고태오는 알려진 이름입니다. 마지막이라는 수식어, 노년을 비추는 한줄기 빛 같습니다. 앞에 그것이라도 없다면, 무엇으로 위로받을까 싶게 느껴지는 쓸쓸함. 고태오 씨는 말 키우는 일 말고는 경로당에서 하루의 대부분을 보냅니다. 경로당에서 반주 한잔을 나누는 노인들 틈 속에 있는 80객의 할아버지를 뵈면서 든 느낌이었습니다.

　할아버지를 따라서 말 방목장으로 갔습니다. '오름'이라 불리는 제주도

1. 2. 3. 4. 제주도에서 말은 요긴한 노동력이었다.

의 산등성이 어디메쯤이었습니다. 말은 물론 아무것도 보이지 않았습니다. 한참을 기다렸더니 고태오 할아버지가 익숙한 솜씨로 말떼들을 끌고 나타났습니다. 아무나 잘 다룰 수 없는 고도의 기술. 말테우리가 말을 모는 경우는 방목지를 옮기거나 물을 먹이러 이동할 때 말고는 흔치 않다고 합니다. 멀리서 보면 말테우리의 노래와 손짓에 온순하게 따라오는 말떼의 모습은 한폭의 그림 같았습니다.

"여아 어려령 어형 어려려 허엇!/령 허려에 오에로 허엉허헛!/워러려려려 이녀리 말 어어어어엇!/워러려려려!"

신호음처럼 들리는 말테우리의 노래는 말떼에게 길을 안내하는 이정표였습니다. 불청객을 만난 말들은 뛰고 피하고 난리였습니다. 인위_{人爲}는 자연_{自然}을 불편하게 만듭니다. 가만가만 따라다니며 찍어야 했는데, 말들이 진정하기까지는 한참이 걸렸습니다. 주인의 손길을 따라 다른 방목지로 이동할 때쯤 되자 말과 테우리는 자연_{自然}의 일부가 되었습니다. 평화롭고, 이국적인 제주도의 방목지에서 말이지요.

'몰_말 모는 소리'는 노래라기보단 의성어 덩어리에 가깝습니다.

"어려 어려~ 어려~ 어려 어려/어허두리 두럼 어려 얼렷 어려 얼렷/어려 허허허 야아디여~ 어기영아 허허/어~~어 로로로로려려려…."

노래라기보다는 말을 이끌어가는 호령소리 같지요. 그야말로 구전_{口傳}입니다. 다른 노동요도 그렇지만 이 소리는 정말 아버지한테 들었던 그대로 나오는 것이랍니다. "딴 사람들은 학술적으로 글로 공부를 해서 들어왔지만은 저는 무조건적으로 옛날 어르신들 하는 거 보고 따라가지고 한 겁니다. 몰_말

이 아플 때는 어떤 증상으로 아프다, 배가 아픈 것은 말이 누렁누렁하면은 배가 아파가지고 한 것이다, 그렇게 해서 데려 다닙니다. 뭐 어디서 지어낸 것도 아니고 옛날 아버지나 어른신들 몰^말 몰고 다니는 소리를 들었다가 한 것이지, 내가 무슨 지어서 한 것이 아니고 책을 보고 지어낸 것도 아니고. 내가 몰^말을 몰고 다니는 소리를 안하면 몰^말이 어디로 갈지를 모릅니다."

그 독특한 맛 때문에 내륙에서는 찾아낼 수 없는, 제주지역만의 독특한 풍물을 보여주는 소리가 되었습니다. 육지의 소가 쇠고기로 바뀌는 동안 제주도에서도 말이 말고기로 바뀌었습니다. 육지의 소처럼 말도 재산이 되고 먹거리가 되었습니다. 그래서 말테우리도 '마지막' 까지 온 것이겠지요. 그래서 고할아버지의 말모는 소리는 제주도의 독특함을 말할 때 꼭 필요해 보입니다.

이물에는 이 사공 놀고
고물에는 고 사공 놀고

강성태의 테우 노젓는소리

고태오 할아버지를 만나고 나니 석양녘, 모처럼 제주의 푸른 바다를 완상할 수 있었습니다. 하늘의 그림자를 담은 바다, 쪽빛 하늘은 바다에서 살아있는 듯 이방인의 시선을 붙잡았습니다. 우리와 동행한 제주 민속 탐구가 오영순 씨는 당신의 선생님이라며 한 어르신을 만나볼 것을 권유했습니다. 광주에서 제주를 오가는 길이 멀지는 않지만 자주 오가기도 쉽지 않은 길, 약간의 피로감이 있었지만 만나보기로 했습니다. 초저녁에 카메라를 만난 강성태 씨1930~ 는 썩 내켜하지 않는 표정이었습니다. "당신들이 내 세계를 담아낼 수 있겠어?"하는 의구심이 깔린 표정. 댁으로 가서 인터뷰를 시작하는데 뭔가 수박 겉만 핥고 있는 기분이 들었습니다. 깊은 바다속에 들어가지 못한 채 얕은 물에서만 놀다만 기분.

제주 민속에 애착을 가진 오영순 씨가 열심히 스승을 설득했습니다. 저사람들 우리 소리 채집에 열성이 있더라, 이런 기회에 한번 잘 찍어둡시다, 그런 요지였지요. 알고 지내는 분으로 이만큼 자원 매장량이 풍부한 사람도 많지 않다는 것이었습니다. 이튿날 아침 일찍 강성태씨 댁을 찾아갔습니다. 밤사이 어르신은 마음을 바꾸신 듯했습니다. 당신의 면모를 보여줄 준비를 하고 계셨습니다. 태우^{제주도의 전통배}를 찾느라 이 마을 저 마을 헤매다니다가 운 좋게도 바다에 놀리고 있는 것을 만날 수 있었습니다. 그렇게 해서 갈옷 차림에 흰 수건을 이마에 두른 제주도 어부의 노래를 들을 수 있었습니다.

평생 일한 육신이 허락하지 않아 이제 논에서도 밀려난 농부를 대하면 누렇게 익은 들녘에서 목가(牧歌)를 부를 염이 생기지 않습니다. 제주도의 쪽빛 바다를 보며 낭만심(浪漫心)이 피어오르다가도 뱃사공으로, 어부로, 농부로 평생을 보낸 노인을 만나면 쪽빛 바다가 삶의 현장으로 바뀌어 보입니다. 관광객의 눈으로 본 성산포 앞바다, 시퍼렇다 못해 검은빛이 도는 바다는 늘 평화롭고 낭만적으로만 보였습니다. 국외자의 눈이었을 때는 그랬습니다.

강성태 씨에게는 뼈마디 쑤시고 눈이 시릴 만큼 지겹도록 겪어낸 세월이 담긴 그 바다. 남정네가 귀했던 제주도에서 그도 보통 사내처럼 밭과 바다를 터전으로 평생 무산자의 삶을 살았습니다. 배고픔을 해결하기 위해 배를 탔고, 멀리 부산까지 나다녔습니다. 잠녀(潛女=해녀)들을 태우고 소라, 멍게, 전복 따위를 뭍으로 운반하고 다녔습니다. "장사도 해보고 해녀 뱃사공도 해보고 여기서 어부질도 해보고. 제주 해녀들이 나가서 소라 전복 멍기(멍게) 이렇게 해다가 부산에 자갈치 시장이라고 있어요. 그 시장으로 잡아온 해산물을 머리에 이고 다니며 팔고, 쌀도 받아다 먹고 그랬어요 제주 해녀들이. 그때 뱃사공 일도 좀 했지."

말로만 듣던 뱃사공. 그의 젊은 시절 직업이었습니다. 목청 좋고 총기있었던 젊은 시절, 그가 노를 저으며 부르는 소리는 고단한 노동을 잊게 해준 어버이의 선물이었습니다. "거 생계를 유지할라면은 하여튼 열심히 어부질이라도 해서 끼니를 마련해야만 생활을 할 수 있지 않겠습니까. 그렇기 때문에 날만 붉으민^{밝으면} 바다에 나가서 고기잡고. 뭐 이 바다에 나가서 힘도 들지만은 터위^{태우 : 제주도의 전통배로 통나무를 엮은 고깃배} 노젓는 소리 이 소리를 부

1. 2. 3. 4. 6. 테우를 타고 잠녀들과 뱃일하던 모습

르면서 나갈 때는 그 때 젊었을 때니까 음정도 좋았고. 그러니까 해녀들도 물질 하다가 다 쳐다봐. 내 노래 소릴 듣고."

뱃길처럼 유장하게 사설이 늘어지는 〈테우 노젓는소리〉. '테우'는 뗏목으로 만든 제주지역의 전통배로, 조선업이 발달하지 않았던 시절 제주도 어부에겐 귀한 살림 밑천이었습니다. 원시적인 고깃배인데 최근까지도 사용되었습니다. 통나무 10개 정도를 나란히 엮어놓기만 하면 되기 때문에 조선 과정이 단순하고 선체가 수면에 밀착되기 때문에 풍파에도 엎어지지 않고 안전하다고 합니다. 다만, 어부들이 노를 저어서 움직여야 하기 때문에 풍파를 만나기라도 하면 빠르게 피할 수 없다는 점이 단점인 배. 하지만 가난한 제주의 어부였던 이들에게는 그 배가 있는 것만으로도 마음 뿌듯했던 것. 푸른 바다 헤치며 고기잡아 자식들 키워냈던 그 살림살이 밑천이었습니다.

테우 위에서 노를 저으며 불렀던 노래에 그의 희로애락이 실려 있었습니다. 얼마나 많은 날을 바다 위에서 살았을까, 원없이 불러댔던 직업 노래. "동해 바다 용왕님전/이 내 소원 들어줍서~/석달 열흘 백일 정성을 들였수다/에헤에 에에/어기여~ 뒤기여~/어기여차 소리로 우겨나 줍서/이물배의 앞 머리에는 이 사공 놀고/고물배의 뒷머리에는 고 사공 놀고/허릿간배 중간에 화장 아배에서 밥짓고 잔부림하는 사람야 물때 점점 늦어나진다/에헤에 에에/어기여~ 뒤기여~/어기여차 소리로 우겨나 줍서~/밀 때랑 반굽히명밀 때는 허리를 반 굽히고 댕길 때랑 전힘을 주어당길 때는 온힘을 주어/에헤에 에에/어기여~ 뒤기여~/어기여차 소리로 우겨나 줍서~."

잠녀들의 노래로 알려져 있는 〈이어도 사나〉도 옛시절엔 힘센 뱃사공들이 불렀던 노래라는 이야기를 그에게서 처음 들었습니다. 당신이 테우 위에서 직접 노를 저으며 시범을 보여주십니다. "이어도 사나 이어도 사나~/우리 배는 잘도나 가네/치 차차 이어도 사나 어 이어도 사나~/들물에는 동해 바다로 썰물에는 서해 바다/이어도 사나 어 이어도나 사나~/먼 데 사람 들기 좋게 옆에 사람 보기도 좋게…."

매주마다 민속체험관에서 제주의 민속과 옛노래를 가르친다는 80줄의 할아버지. 그가 가진 소리 보따리는 그뿐이 아닙니다. 테우에 앉아서 갈치를 낚으며 불렀던 〈갈치낚는 소리〉는 퍽 호젓한 느낌을 줍니다. "강남 바다에 놀던 강 갈치야/가다나 징끗 오다나 징끗/걸려나지라낚시에 걸려라/나 낚신 두낭 멩게낭술이 되어나지고내 낚싯줄은 청미래덩쿨처럼 약한 줄이니까/나 술은 두낭이 썩은 칙줄이 되는 고낭이야내 낚시는 아주 약하고 썩은 칙줄이 되는구나/어질같은어질고 인자한 선왕님배를 관장하는 신아/갈치 싹 노는 곳갈치들이 떼지어 노는 곳으로 뱃머리를 인도합서…."

보여줄 것이 많은 이. 제주의 민속이라면 못하는 것 없이 '다 펜다는' 이. 제대로 보여줄 것인가 말 것인가, 그가 처음 우리를 만나 탐색했던 것은 그것이었음을 나중에야 알았습니다. 고수高手의 셈이었던 거지요. 가볍게 드러내지 않는 그런 진중함이 묵직한 여운을 남깁니다. 직업 국악인이 아닌 생활인의 체취를 갖고 있어서일까, 이 어른을 만난 느낌이 참 좋았습니다.

우리나라에 어업을 생업으로 한 곳치고 굿이 성행하지 않은 곳이 없듯이, 제주도는 굿이 발달한 곳입니다. 〈서우젯소리〉는 제주도에서 굿할 때 굿거리 중간에 들어가는 소리로 굿에 온 사람들과 신을 즐겁게 하는 소리로 전해지고 있습니다. 제주의 민속은 다 펜다는 노장의 소리는 끝도 없이 이어질 기셉니다. "어양 어양 어야 어양 어양 어야/앙~ 아야 어야로다/혼 무루한마루 놀고 가고 혼 무루한마루랑 쉬고 가세/앙~ 아야 어양 어양 어야로다/물에 들면밀물이면 수중에서 놀고/물이 싸면썰물이 되면 해변에서 논다/앙~ 아야 어양 어양 어야로다/들물에는 동해 바다 썰물에는 서해 바다/앙~ 아야 어양 어양 어야로다/일편단심 굳은 마음 일년이 다 못가서/앙~ 아야 어양 어양 어야로다/송죽같이 굳은 절개 요 매를 친다고 허락하나/앙~ 아야 어양 어양 어야로다…."

일락서산 해는 지고
나 갈 길은 천리로세

고윤석의 상동마을 들노래

건강 마라톤을 하고 있습니다. 지방자치단체마다 지역축제를 벌이기 전에 마라톤대회를 마련하고 있는데요, 달리는 사람들이 저렇게나 많나 싶게 수많은 사람들이 몰려듭니다. 지역별 마라톤 클럽에 속한 동호인들은 물론이고 대규모 사업장에도 마라톤 동호인들이 있어 조직적 참여를 하고 있습니다. 5㎞ 뛰는 사람, 10㎞ 뛰는 사람, 하프 코스를 택한 사람, 풀코스를 완주하는 사람, 제각각이지요. 달리는 표정들도 백인백색입니다. 전쟁을 치르는 비장 모드, 도를 닦는 듯한 수행자 모드, 밝고 활기찬 표정의 레저 모드….

달리는 길 위에서 생각합니다. 이건 같이 달리는 사람들과의 경쟁이라기보다 자기와의 싸움이로구나, 포기하고 싶은 자기와 끝까지 목적지에 도착하려고 최선을 다하는 자기와의 경쟁이로구나. 그런 점에서 한없이 펼쳐진 길을 헉헉대면서 뛰는 사람들 모두가 동지同志라는 생각이 듭니다. 또, 생각합니다. 저 길은 모두에게 다른 길이구나. 치타처럼 내달리는 사람에겐 스펀지처럼 가벼운 길일 테고, 체력이 떨어지는 사람에겐 평지도 천근만근 무거운 오르막길처럼 느껴질 테고, 느긋하게 걸어가는 사람에겐 진초록빛 자연과 물아일체物我一體가 되는 길이겠구나.

초인적인 힘으로 길 위를 뛰는 사람들, 거기에 겹쳐지는 노인들이 있습니다. 뙤약볕을 맞으며 논밭에서 노동하며 살아가는 농민들입니다. 전남 무안군 무안읍 상동마을에 사는 고윤석 씨1933~ 도 그렇게 초인적인 에너지를 쏟으며 길 위를 달려온 마라토너 같은 인생역정이 있습니다. 80세를 바라보는 할아버지지만 더위나 병고쯤은 대수롭지 않게 여기는, 인생이라는 길 위를 쉼없이 달려온 마라토너.

6살 때 고아가 됐습니다. 26세의 아버지가 병사하면서 집안이 초토화 됐습니다. 어머니는 3형제를 놔두고 집을 나갔고, 화병으로 몸져누운 할머니는 그해 겨울에 운명을 달리했다고 합니다. 6세의 맏아들 고윤석 씨는 할아버지의 손에 키워졌습니다. 호구책이 없었던 할아버지를 떠나 두 동생은 고모댁으로, 친척집으로 뿔뿔이 흩어졌습니다. 그 후로 17세 때까지, 할아버지와 고윤석 어르신의 생활은 처참한 생존투쟁이었습니다. 날품팔이에 소나무 껍질을 벗겨먹는 것은 일상이었습니다. 주위의 중매로 2살 연상의 진낙순 씨와 부부의 연을 맺기까지 할아버지와 손자 둘이 밥해먹고 빨래하는 숭한 시절을 살았습니다.

궁핍했던 시절에 대한 증언은 정말 그럴 수 있었을까, 삼십일 동안 아홉 끼를 먹는다는 삼순구식이란 고사성어가 없던 말이 아니었구나 하는 실감이 확 끼쳐옵니다. "시집이라고 온께 암것도 없고, 어매 아배도 없고 혼자 독집에 살았어요. 아주 사흘을 굶을라고 한께 눈에 뭐가 뵈이도 않고… 저기 뒷집에 초상이 났어. 근데 열일곱살 먹은 사람이 그때는 개를 잡았던 모양입디다. 개를 잡았던가 국에다가 밥 한단을 넣어서 개고기를 띄워 줘요. 나는 그 밥을 못 먹겠습디다. 역해서…." 할머니는 친정이 찢어지게 가난한 살림이 아니었던 터라 시댁살이가 이루 말할 수 없이 고통스러웠습니다. "열아홉에 이 가문에 들어와 가지고 일만 일만 뒤지게 일만 해버렸어. 인제는 병이 찾아와가지고 몸이 안 아픈 데가 없고, 전부다 아프고. 애들 칠남매를 낳아서 키웠어요, 키웠는디 사는 것이 허망합디다. 어째 허망하냐면 낳아서 키우면 키운다고 그래, 키워놓고 본게 갈친다고 그래, 갈치고 논게 여운다고 해, 여우고 난게 저금낸다고 해. 정말 폭폭해서 못 살겠습디다. 그래서 나갈라고 아무래도 못 살겠어서 나갈라고 그랬는데 그것도 안 됩디다. 한번 연분이라 그랬던지. 그래서 여태 이러고 살았어요…."

　배우자의 거침없는 이야기를 가만 듣고 있는 고윤석 씨의 얼굴엔 그늘이
느껴지지 않습니다. 눈앞의 현실이나 앞으로 겪어야 할 미래 이야기가 아니
라, 다 왕년의 추억담이니 그런 여유가 생긴 것입니다. 한번 터진 할머니의
이야기 물꼬는 콸콸 쏟아집니다. "(남편이) 군대를 갔는데 생일날 잡혀갔어
요. 애기 낳고, 생일날. 태를 꼬셔놓고 방에 들어갔는데 뭣이 부릅디다. 그
런게 불났다고 그런지 알고 밖으로 나갔지. 그런데 우리를 잡으러 온 게 아
니라 다른 사람 잡으러 와서 수가 적응게 가버려서, 영감님을 잡으러 온 거
요. 내가 애기를 일곱 낳았는데 일곱을 영감님이 다 받았거든. 암도 없으니
까. 영감님이 일곱을 다 받았어. 손으로. 그런데 애기 낳고 태꼬시고 방에
들어와 있는데 바로 군대를 가버렸는데 내가 뭣 되얐겠어? 아무것도 아니
제. 방에서 울고 뭐고 해봐야 눈물나. 죽겠습디다 죽었어. 말을 못해. 그래

2. 군대갔다 휴가 나와서   3. 옛날 상동마을 두레패

서 새끼들을 멕여 살리고 데꼬 다니면서 할 게 없는데 암것도 없는데 끼니고 뭐고 암것도 없는디 군대를 가버린게 한되씩 줘서 먹고 살았는데 군대를 가버린게 그 모양을 해놓아서. 나는 아무 말도 책에다가 내놓아도 암말을 못하고, 어따 써도 못쓰고… 나는 한타령. 내 속을 누가 알거나. 내 속을 누가 알거나…" 갓난애를 받아줄 산파가 없어 남편이 받았는데, 아이를 낳은 날 남편이 군대 징집되어 갔다는 얘깁니다. (옛날에는 20세 전에 혼인을 많이 했기 때문에 고윤석 씨처럼 아이를 낳고 살다가 군대를 가는 경우가 많았다고 합니다.)

이제 인생의 황혼녘에 선 남편은 담담하게 아내의 인생을 감싸안습니다. "일밖에는 몰랐지. 일밖에 몰랐어. 일밖에 모르고 살았지. 인때까지. 그래서 요즘은 일좀 그만하세 그래도 하도 습관이 되어서, 아주 성질이 그렇게 되어버렸응게. 우리 할멈은 옛날 여자라 나랑 같이 살았지. 지금 같으면 하나도 없어. 백에 하나도 없어. 요새 세상에 그렇게 살기 좋아도 이혼하는 거 보면 이해가 안 가더만. 이렇게 살기 좋고 돈 많고 그래도. 지금 대한민국 사람들이 너무 호강에 초쳤어…" 어르신의 고생담은 '요새것들'의 가벼운 행실로 항로를 변경할 태세입니다. 어쨌든 길 위를 쉬지 않고 뛰어온 마라토너처럼, 날이면 날마다 계속되는 노동의 세월을 살면서 7남매를 낳아 길러 세상에 내보냈습니다. 케케묵은 보수라 여길 수 없는 묵직한 이유를 담고 말이지요.

찢어지게 가난했던 초중년기를 보냈지만 고윤석 씨는 뒤늦게 행복감을 맛본 분입니다. 기계화 이전 사람들의 몸뚱이가 노동력이었던 시절, 입에서 입으로 전해지던 들노래며 상여소리를 잘했습니다. 어른들 따라 일하면서 습득한 것인데 기억력도 좋고 목청도 좋았기에 마을의 소리꾼으로 인정받았습니다. 옛날 무안읍 상동마을은 두레패가 농기를 앞세우고 모내기를 하고 김매기를 하면 지나가던 사람들이 멈춰 서서 구경을 할 만큼 장관을 이뤘다고 합니다. 들노래도 그만큼 역사가 깊습니다.

"(앞소리)가세 가세 어서 가세/(뒷소리) 제호 좋네/쥔^{주인} 양반 집으로 어서 가세/제호 좋네/세월아 네월아 가지 마라/제호 좋네/아까운 청춘 다 늙어가네/제호 좋네…." 논매기 마치고 소타고 주인네 집으로 가면서 부르는 노래

"(앞소리)호호호 호와헤 헤헤헤 에호/(뒷소리)호호호 호와헤 헤헤헤 에호/오동추야 달은 밝고/호호호 호와헤 헤헤헤 에호/임의 생각 절로 나네/호호호 호와헤 헤헤헤 에호/일락서산 해는 지고/호호호 호와헤 헤헤헤 에호/나 갈 길은 천리로세/호호호 호와헤 헤헤헤 에호…."

아내가 혼자 죽어라 일하고 있을 때도, 고윤석 씨는 들노래 한답시고 이리저리 불려 다닐 때면 내밀한 행복을 느꼈습니다. "재미져. 둥따 둥따다 둥따 둥따다 못방구치고 참 그렇게 재미져. 그런게 허리 아픈 것도 모르고 된^{힘든}줄을 몰라. 그렇게 외로움을 달래고 고달픔을 달래고. 농부가^{들노래}가 그렇게 좋았어." 어느 시대를 막론하고 노동과 유희는 동전의 양면처럼 결합되어 있었던가 봅니다. 유희가 뒷받침되지 않는 노동은 고통의 연속이고, 노동없는 유희는 끼리끼리 즐겁다가 지겨워지는 법이었지요. 그래서 학력은 짧아도 지혜는 풍부했던 우리 선조들이 논밭에서 진땀나는 노동을 하면서도 유희를 발굴해 숨통을 텄던 게지요. "들노래를 17살부터 했당께. 계속했제, 계속하고 있다가 24살에 군대 가버리고 군대 갔다 와서도 한참 했제. 아조 그 때는 사람 10명만 모으면 들노래 불렀응께. 나는 그 노래를 배울라고 고정석 씨^{마을 선소리꾼} 옆으로 가. 옆으로 가서 하는 소리를 가만히 들어갖고 그렇게 해서 배웠제. 어디 한 자리에 앉아서 뭣을 이렇게 해라 저렇게 해라 가르쳐주든 않고. 그때는 이것이 뭣인지도 모르고. 요새 닥친께 저것이

문화재다 들노래다 한 것이제 그때는 배고픈 시상에 밥만 생각하제. 그런 것이 뭣인 줄이나 알았가니. 암것도 몰랐제!"

육신 대신 기계가 대신하는 걸로 노동방식이 바뀌면서 마을마다 있던 들노래도 사라졌습니다. 더러 노인들의 기억으로만 남거나, 문화적 가치를 인정받아 제도적 보호를 받는 무형문화재가 되거나 했습니다. '상동 들노래'도 뒤늦게 전남 무형문화재로 지정되었고, 소리꾼의 위상도 달라졌습니다. 아내 눈총 받으면서 담뱃값이나 받으며 선소리를 하다가, 뒤늦게 문화재 대접을 받으면서 아내의 대접도 달라졌습니다. 문화재 지정이 된 이후, 해년마다 한 번씩 시연試演을 하면 구경할 마음도 생겨났습니다.

마을 사람들이 노동 공동체로 엮였던 옛 시절에는 두레패가 상두계를 겸했던 것처럼, 들노래 소리꾼이 상여소리도 메겼습니다. 흥을 돋우려는 목적과 망자의 유족들을 위로하려는 목적은 달랐지만, 메기고 받는 구조가 같고 방대한 노랫말 역시 아무도 할 수 있는 게 아니었기 때문입니다. 어려서부터 인이 박힌 탓인지, 그 시절이 그리운 탓인지, 주목받는 순간들이 행복했던 탓인지, 고윤석 어르신은 혼자 일하면서도 들노래가 나오고 상여 앞소리가 흘러나온다고 했습니다. 맨주먹의 농투성이로 시작해 고통스러운 중년기를 거쳐 말년에 낙樂 하나를 찾은 인생. 초중반 레이스는 힘들었지만 막판 레이스가 가벼운 인생 종반의 마라토너처럼, 끝이 참 보기 좋습니다.

사람이 살면은
몇 백년이나 살더란 말이냐

라영덕의 육자배기

"유이불학幼而不學 노무소지老無所知요 춘약불경春若不耕 추무소망秋無所望이
라." 어려서 배우지 않으면 늙어서 아는 바가 없고, 봄에 부지런히 밭 갈지
않으면 가을에 얻을 것이 없다는 선현의 말씀이 있습니다. 빠른 판단이 돈
되는 요즘 세상에는 들어맞는 말이 아닌 듯합니다. 그러나 과거 농경시대에
나 철칙으로 받들어모실 그 말을 곰곰 곱씹어보게 되는 풍경이 있습니다.

도심 아파트 단지 옆에 야트막한 밭이 펼쳐져 있습니다. 밭이래봤자 몇
평 되지 않은 데서 손을 놀리는 노인이 있습니다. 풀을 매고, 옥수수를 가꾸
고, 고추를 따고, 뭔가를 부지런히 합니다. 늘 거기서 그렇게 땀 흘리며 일
하고 있는 노인을 대하면서 성자聖者라는 생각이 들곤 합니다. 부지런한, 미
련한, 불운한, 거룩한, 어떤 형용사를 갖다 붙여도 좋습니다. 근로소득보다
는 투자소득이 훨씬 더 많은 부富를 가져다주는 이 부박한 자본주의 시대에,
도시의 한 귀퉁이에서 저렇게 땀을 흘리고 있는 모습에 불편함을 느끼는 심
리는 무엇일까요.

그건 아마도 제가 도시에서 사는 방식에 익숙해졌기 때문일 것입니다. 우리는 1차산업에 노동력을 제공해서 얻는 생산력보다는 지금까지 체득한 지식정보를 방송제작에 투입해서 얻는 생산력이 훨씬 크다는 것을 알고 있습니다. 그러면서도 마음 한쪽이 자꾸 미안스러운 겁니다. 일은 덜하면서 소득은 많은 것 같은 기분, 한여름 밭에서 땀을 뻘뻘 흘리며 일하는 분들에게 빚진 것 같은 기분 말이지요. 뿌린 대로 거둔다, 만고의 진리지만 노인이 노동 뒤끝에 만질 결과를 생각하면 씁쓸하기만 한 것입니다.

그런 땀흘림이 부자로 살 만한 소득을 가져다주진 못하지만, 내팽개쳐 버리기에 아까운 문화를 낳았다는 사실은 주목할 만한 일입니다. 전북 남원시 대강면 평촌리. 당산제의 전통이 아직도 지켜지고 있는 마을입니다. 이 마을에서 〈육자배기〉를 들었습니다. 진도가 아닌 곳에서 듣기는 처음인 듯했습니다. 지금도 100여 가구가 사는 큰마을인데, '들노래'도 왕성해서 선소리꾼이 몇명 생존해 있습니다. 그 선소리꾼 가운데 한명, 라영덕^{1938~} 씨가 〈육자배기〉를 불렀습니다.

"사~라~ㅁ이 살~며~느은 몇 백 년~이~나 살더~라아안 말~이냐아…"

유장하게 흘러가는 그 소리를 "산에 나무하러 다니며 불렀다"고 합니다. 그렇다면 〈육자배기〉는 옛날 전라도 어른들이 산에 나무하러 다니면서 입으로 입으로 전해 불렀다는 유래설이 하나의 근거가 됩니다. 들노래나 상여소리와 달리 독창^{獨唱}인데, 가창 시간이 길다는 점에서 설득력 있게 들립니다. 나무심는 일을 하다가 말고 또 한 자리.

"산천초목을 쳐다보니/이 산을 건너가믄 평지일 줄 알고/가보니 태산이

높고 높아/앞산이 걸리었구나/오르고 오르면 못 오를 일이 없지/높다고 내가 아무리 오르고 오르면/못 오를 일 없더라…."

지게진 일꾼들이 놀면서 산에 올라가다가 너도나도 한자리씩 부르며 올라가던 것이라 합니다.

"갈까부다 갈까부다/집을 갈까/일모日暮되어 가다/주모 술 한잔 허라구/그 소리 듣고/어찌 주객酒客이 그냥 갈까부다/일모日暮는 다 되어 어두운데/식구 나 오기 기다려/정든 임 안 오시니/생각하니 기가 막힐 일이구나/고나 헤~."

1, 2, 3. 궁핍했던 젊은 시절

판소리 〈춘향가〉 중 갈까부다 대목이 아닙니다. 시詩 같기도 하고 판소리 같기도 한데, 둘다 아닌 느린 진양조의 노래. 〈육자배기〉가 분명했습니다. 라영덕 씨 개인의 고통스러웠던 생애담도 〈육자배기〉에 드리워진 짙은 음감에 이바지하고 있는 것 같습니다.

찢어지게 가난한 집안의 둘째 아들로 태어나 부모로부터도 귀염 받지 못하고, 맨손으로 장가를 들어야 했습니다. 부인 장점례 씨1939~ 의 말에는 아직도 고통이 묻어납니다. "아이고 가난하다니 말로 할 수도 없어요. 아무 것도 없이 사람만 내놓으니 뭣을 먹고 살아요. 큰 집서 내놓을 때 아무것도 없이 사람만 둘이 내놓으니 뭐 먹고 살 것이 있어야지. 시집살이가 어쩧게 강한게로. 애기를 안봐줘요. 일은 일대로 시키고 그런게 (어린 아이를) 업고 가서 밭에다 놔두고 밭매고. 아무것도 없어갖고 남의 밭매러 가면 밭고랑에다 놔두고 밭맸어요…."

곤궁한 살림을 벗어날 길이 없어 부잣집 머슴살이를 자청해야 했습니다. 워낙 부려먹는 쥔네라 웬만한 사람들은 1년도 견디지 못했던 머슴살이를 4년이나 해냈습니다. 요즘말로 하자면 4년짜리 FA계약을 한 것인데 고용주에게 일방적으로 유리한 노예계약을 하고도 견뎌내야만 했습니다. 밥벌이호구책으로 그것밖에 할 것이 없어서였습니다. "남의 집 귀한 여자 데려다가 고생도 많이 시켰소. 배도 많이 곯고. 젊어서 밥 쪼깨 먹을 때는 부모가 호랭이 같아가지고 생전 정도 없고. 살다가 하도 곤궁해서 남의 집 머슴살이을 들어갔어요. 남의 집 머슴살이 들어가서 4년 살아갖고 살림살이 끄댕이 잡아갖고 그래도 밥먹고 살아나왔소…."

일도 잘했고 총기聰氣도 있었습니다. 신식 노래와 달리 구식 노래는 암기력이 뛰어나야 "노래 잘한다" 소리를 듣습니다. 이 어른의 '스펙'은 상당합니다.

"(뒷소리) 에헤루 사호/(앞소리: 라영덕) 내렸다네 내렸다네 이몽룡 자제 가 내렸다네/에헤루 사호/서마지기 논배미가 니가 무슨 반달이냐/에헤루 사호/초생달이 반달이제 니가 반달이냐/에헤루 사호/이 논배미가 다 되면 어느 논배미로 건너갈게/에헤루 사호/머리 논배미 다 되어 건너가세/에헤 루 사호/농군들 소리를 잘도 하요/에헤루 사호/위~"(〈논매는 소리〉 중)

"뭔 소리고 한번 들으면 섣달 그믐날이 넘어가더라도 그때 그 말을 기억 을 다하고 있고 그랬는디. 학교 문 앞에만 갔다 왔더라도 내가 세상을 이렇 게는 안 살았을 것이여. 10살 묵어서부터 부모따라 댕기면서 일만 해갖고 오늘 날까지 일로만 닳아져 부렀어요."

당신의 증언마따나 기억력이 뛰어났던 것입니다. 온종일 논에 엎드려 일 하면서 불렀던 〈들노래〉나 초상집에서 몇 시간씩 걸리는 장지까지 불러 줘야 하는 〈상여소리〉는 가창력도 가창력이지만 방대한 가사를 갖고 있어 야만 할 수 있는 일이었습니다. 그 시절엔 '담뱃값' 받으며 불렀던, 대단치 않은 기능이었습니다. 먹고살고 위해 천민을 마다않았던 라영덕 어르신 의 몫이 된 것은 당연했겠지요.

"음지가 양지되고 양지가 음지된다"고 했듯, 요즘 세상엔 〈상여소리〉가 참 귀해졌습니다. 매장보다는 화장이나 수목장이 일반화되면서 상여행렬 보기도 어려워진 탓입니다. "인자 우리때나 상여 챙기고 거시기하 제 뭐. 시방은 병원에 가서 출상을 하고 그런께 그러제. 그 전에는 집에서 하 면서 초저녁에 초경하제 이경하제 삼경하제 새벽까지 그러고 놀고. 또 다 손 수 염해서 상여 내갔어. 시방은 딱딱 만들어서 갖고 와불고 뭔 일 있어요?"

희귀할수록 값은 올라가는 법이라, 고도의 전문성을 요구하는 〈들노래〉 며 〈상여소리〉를 할 때면 어깨를 으쓱하게 됐습니다. 인생 말년에 받아보는 행복한 스포트라이트입니다. "그때는 열아홉은 돼야 품앗이에 끼는데, 나는 열일곱 살 때부터 품앗이를 하고 댕겼소. 쬐깐해서부터 어른들하고 품앗이를 하러 댕기고 그랬는디. 내 초성初聲이 좋아서 어른들이 소리를 시켜쌓고 한같이한께 하고 놀고, 논매러 댕기고 그랬지….”

70대 초반, 아직 할아버지라 부르기엔 꽉차지 않은 연세인데 이 분은 할아버지 느낌을 강하게 풍깁니다. “마른 땅 진 땅 다 다녀봤다”는 한마디면 이분의 젊어 고생을 표현할 수 있을는지요. 앞니가 다 빠지고 두 개만 남아 있는 모습이 간난신고艱難辛苦 구빗길을 헤쳐온 할아버지의 풍모입니다. 이런저런 소리자원을 많이 담고 있는 것도 노인 냄새를 풍기는 이유인 듯합니다. “똑똑 떨어지게 소리를 잘 맞췄던 옛날 어른들은 다 가고 없고 송생이들서툰 뒷소리꾼을 일컫는 듯만 남아서 소리가 안 맞아.” 이런 이야기는 소리 공력이 깊은 사람이니 할 수 있는 말씀입니다.

노부부가 소박하게 살아가는 집은 뒤늦게 ‘저금나서독립해서’ 성주한 것인데, 한번은 불이 나서 전소되는 불행을 겪기도 했습니다. 떠나려고 했다가, 그래도 그 집에 깃든 한평생 고생을 잊을 수 없어 다시 집을 지어 살고 있습니다. 치떨리게 가난했던 시절을 겪어내고 살 만한 세상이 됐는데, 주위에서 자꾸 세상을 떠나는 동년배들을 보며 자연으로 돌아갈 날이 얼마 남지 않았음을 느끼신답니다. “옛날 시절에 참 그때가 좋았제라. 시방은 농사짓기도 일도 없고. 농사를 지어놔도 나락 말리기가 힘이 드요 뭣하요? 기계가 다 해주고 그렇제 뭐. 시방은 40마지기 지어도 한가해요 한가해… 참 성제간 같이 사이좋게 지낸 사람들은 다 가부렀구만. 나랑 갑(동갑)짜리들도 나가불고 죽어불고. 여그 시방 하나 남았어 나하고 둘 남았구만….” 이 부부에게 고진감래苦盡甘來의 여생이 얼마일는지요.

놀다 가자 쉬어 가자
한번 가면은 못 오는 길

설재림의 진도만가

··· 열한 명의 아들딸을 훌륭하게 키워낸 아흔한 살의 어머니가 혼수상태에 빠졌습니다. 온가족이 다함께 모여 어머니를 위해 기도했습니다. 기도가 끝나자 갑자기 어머니는 눈을 번쩍 뜨고서 "나를 위해 모두 기도를 했구나. 고맙다. 그런데 위스키 한잔 마시고 싶은데"라고 해 모두를 놀라게 했습니다. 위스키를 가져오자, 어머니는 한 모금 마시고는 이번에는 "담배가 피고 싶구나"라고 말했습니다. 그러자 장남이 "의사가 담배는 몸에 좋지 않다고 했어요"라고 말하자, 어머니는 "죽는 사람은 의사가 아니라 바로 나야. 담배 한 개비 주겠냐"라고 응대했습니다. 그녀는 여유있게 담배를 한대 피우더니 모두에게 감사

를 표한 뒤 "천국에서 다시 만나자, 안녕!"이라고 말하고는 그대로 숨을 거두었습니다.

그때 슬퍼했던 자녀는 한 사람도 없었습니다. 물론 어머니의 죽음은 슬픈 일이었지만, 죽는 순간 그녀가 보여주었던 유쾌한 유머를 생각하면서 모두 미소를 지었습니다. 어머니는 평생 위스키나 담배를 거의 입에 대지 않았습니다. 그러니까 아무리 생각해도 죽기 직전 위스키를 마시거나 담배를 피울 이유는 없었습니다. 어머니는 자신이 죽을 때 자식과 손자손녀들을 슬프게 할 게 아니라, 밝은 분위기를 만들어주고 싶었던 것입니다….

이상의 이야기는 『죽음을 어떻게 맞이할 것인가알폰스 데켄著』라는 책에 나오는 내용입니다. 나이를 먹을 만큼 먹으면 죽음을 그 할머니처럼 유쾌하게, 초연하게 받아들일 수 있을까. 어떤 인생을 살아야 생의 마지막 순간을 추하지 않게 보여주고 갈 수 있을까, 생각해 봅니다. 우리는 말합니다. 먹고 살기 위해, 혹은 죽기살기로 열심히들 산다고. 그렇지만 죽음을 앞두고는 어떻습니까. 모든 집착과 소유의 끈을 놓고 초연해질 수 있을는지요.

'돌아가셨다' 는 말에서 알 수 있듯, 한국인 선조들은 대개 죽음을 '자연의 일부로 돌아가는 것' 으로 인식했던 것 같습니다. 지금이야 한 군郡마다 서너 개씩은 들어서있는 장례식장에서 장례의 제반 절차를 해결하지만, 농경사회에서 발생한 마을의 초상은 온마을 사람들의 힘이 모이는 마을 대사였지요. 보통 마을마다 한해 논일을 맡아했던 두레가 있었듯, 초상과 장례를 맡아하는 상두계가 있었습니다. 마을에 장정들이 많던 시절이었으니, 두레꾼들이 상두꾼을 겸했습니다.

상여를 메고 장지葬地까지 가는 길, 긴 상여행렬과 그 길을 가면서 부르는 상여소리를 보기도 참 어려워졌습니다. 지금은 병원 영안실이나 장례식장에서 화장터로 향하는, 단출하고도 을씨년스러운 모습에 익숙해지고 있습니다. 행운이라고 해야 할까요, 2007년 11월 모처럼 전남 진도에서 상여 행렬을 보고 상여소리를 들을 수 있었습니다. 한국 전통예술의 거장 박병천^{1933~2007} 명인이 탯자리인 전남 진도군 지산면 인지리에 묻히던 광경은 사라진 진도 민속^{民俗}의 재현이라고 할 만큼 장관을 이뤘습니다. 고인이 행했던 예술이 죽음을 매개로 한 것^{진도 씻김굿}이었고, 진도 만가^{輓歌 : 상여소리}를 전수했던 이가 고인을 하늘길로 배웅하는 소리를 했기에, 한 거장의 죽음은 그 자체가 훌륭한 현장예술이 되었던 것이지요.

상여소리는 물론 처연합니다. 받는 소리^{뒷소리 : 후렴}에 애절함이 뚝뚝 묻어납니다. 그런데, 노랫말 자체가 놀라울 정도로 이치에 맞아떨어집니다. "(애소리) 애 애 애헤애야/애헤애 애헤애~ 애헤애야/애헤애 애헤애~ 애헤애야/어이를 갈거나 어이 갈거나/심산 험로^{深山險路}를 어이를 가리/애 애 애헤애야/애헤애 애헤애~ 애헤애야/옛 늙은이 말 들으면/저승길이 멀다드니/오날 보니 앞동산이 북망^{北邙}/애 애 애헤애야/애헤애 애헤애~ 애헤애야/삼천갑자^{三千甲子} 동방삭^{東方朔}은/삼천 갑자^{三千甲子} 살았건만/오늘 가신 망자^{亡者}님은 /백 년도 못 살아/애 애 애헤애야/애헤애 애헤애~ 애헤애야/놀다 가자 쉬어 가자/한 번 가면 못 오는 길/어이가리 넘차 너화넘/애 애 애헤애야/애헤애 애헤애~ 애헤애야/못 가겠네 안 갈란다/차마 서러워 못 가겠네/내 님 두고는 못가겠네/애 애 애헤애야/애헤애 애헤애~ 애헤애야/간다 간다 나는 간다/이제 가면은 못 오는 길을/애 애 애헤애야/애헤애 애헤애~ 애헤애야/친구분네 잘 계시오 자식들도 잘 있거라/나는 간다 요 난 길로/애 애 애헤애야/애헤애 애헤애~ 애헤애야…"

옛날 어른들 말씀이 저승길이 멀다고 했는데 오늘 보니 가깝다는 말도 이치에 맞고, 삼천갑자^{三千甲子} 동방삭^{東方朔 : 중국 전한시대의 문인. 속설에 서왕모의 복숭아를 훔쳐 먹어 장수했다고 하는 인물}만큼 장수하지 못하고 고작 100년도 못살고 작고한 망자^{亡者}를 위로하는 말도 표현력이 보통 뛰어난 게 아닙니다.

1. 2. 5. 6. 진도 지방의 상여행렬   3. 〈남도들노래〉 공연 모습   4. 마을 잔치에서

진도지역에서 전승되는 상여소리를 〈진도만가〉라 합니다. 보통 상가喪家
에서 선산이 있는 장지葬地까지는 2~3시간이 걸리기 때문에 상여소리도 한
두 가지만 있는 것이 아닙니다. '진도 만가'의 경우 긴염불, 중염불, 애소
리, 재화소리, 하적소리, 다리 천근소리, 다구질 소리 등 12거리로 이루어져
있습니다. 12라운드를 뛰는 권투 선수나 42.195km를 달리는 마라토너의 에너
지와 비교하기는 어렵겠지만, 소리꾼 한 사람이 몇 시간을 가창하려면 만만
치 않은 힘이 필요합니다. 뒷소리를 받는 상두꾼들 역시 군데군데 쉬어가지
않으면 안될 길입니다.

　상가를 막 떠나면서 하는 〈하적소리〉를 시작으로 〈나무아미타불〉〈다리
천근소리〉가 이어지면서 선산 입구까지 긴 행렬이 이어집니다.

　"〈하적소리〉하적이야 하적이로구나/시왕산十王山 가시자고 하적을 허네/
하적이야 하적이로구나/시왕산十王山 가시자고 하적을 허네/살던 집도 하적
하고/처자식도 다 버리고/시왕산 가시자고 하적을 허네/**하적이야 하적이로
구나**/시왕산十王山 가시자고 하적을 허네/일가친척도 다 버리고/동네방네 마
지막 인사/시왕산十王山 가시자고 하적을 허네/**하적이야 하적이로구나**/시왕
산十王山 가시자고 하적을 허네"//〈나무아미타불〉나무아미타불/**나무아미타
불**/가자서라 가자서라/**나무아미타불**/왕생극락을 가자서라/**나무아미타불**/
극락이라고 허는 곳은/**나무아미타불**/고통 근심이 전혀 없고/**나무아미타불**/
황금으로 땅이 되고/**나무아미타불**/연꽃으로 줄을 이어/**나무아미타불**/반야
용선般若龍船에 배를 띄워/**나무아미타불**/인도황이 노를 젓고/**나무아미타불**/
팔보살八菩薩이 호위하야/**나무아미타불**/제천음악諸天音樂 갖은 풍류/**나무아미
타불**/극락세계로 가옵소사/**나무아미타불**/제보살諸菩薩 제보살//〈다리 천근
소리〉아아아 에혜요/**아아아 에혜요**/천궁天宮이야 천궁이여/**아아아 에혜요**/
갑장에 천궁 동갑에 천궁/원근 천궁에 쉬어가세/**아아아 에혜요**/**아아아 에**

헤요/천궁天弓이야 천궁이여/깊은 물에 다리를 놓아/만인공덕萬人功德에 다리 천궁/아아아 에헤요 아아아 에헤요/천궁이야 천궁이여~……"

어쩌면 가창자歌唱者도 무슨 뜻인지 정확히 모른 채 부르는 가사도 있을 것입니다. 다만 대대로 구전되며 응축된 상여소리의 맛, 시김새를 제대로 느낀다면 귀한 음악을 들었다 할 수 있겠지요. 소리꾼은 듣는 사람이나 유족들을 울려야지, 소리를 하면서 스스로 눈물을 흘리지 않는다고 했습니다. 그러나 2007년 11월, 스승을 보내는 소리꾼 설재림 씨1945~ 는 내내 울음범벅이었습니다. "나도 모르게 자동적으로 눈물이 나오드만요. 눈물이… 너무나도 애석도 하고, 너무나 나를 사랑해 주시고. 스승 박병천이라는 사람을 생각하다 보니까 소리할 때마다 눈물이 안 나올 수가 없드만요…."

소리꾼이 눈물로 배웅한 스승. 박병천 명인은 진도 씻김굿, 강강술래, 들노래, 상여소리 등 수많은 진도의 민속을 무대에 올리고 제도적 보호를 위해 노력했던 분입니다. 전라남도 무형문화재 제19호 〈진도만가〉 종목의 예능보유자 설재림 씨도 생전에 고인과 나눴던 정이 얼마나 도타웠는지 '프로답지 않게' 눈물을 숨기지 못했던 것입니다. '아마추어같이' 눈물을 보인 정별. 정별의 노래도 참 문화적이라는 생각이 들었습니다.

대체로 계면조界面調의 애원성哀怨聲으로 이어지던 〈진도만가〉도 입관을 마치고 묘를 다질 때는 장단이 빨라지며 흥겨운 분위기를 냅니다. 상가에서 장지까지 오면서 힘들었던 일을 갈무리하는 마지막 거리라서 힘을 내는 것입니다. 미물微物도 중히 여겼던 마음, 방위方位와 순서順序 어느것 하나 허투루 하지 않았던 조상들의 지혜가 노랫말마다 담겨 있습니다.

"〈가래소리〉어혀 어혀 어허 여허루 가래로세/**어혀 어혀 어허 여허루 가래로세**/일쇄동방 一灑東方 다굴 적에/청룡 한 쌍이 들었으니/용의 머리 다칠세라/아라 감실로 다과라^{다구어라}/**어혀 어혀 어혀 여허루 가래로세**/이쇄남방二^{灑南方} 다굴 적에/두꺼비 한 쌍 들었으니/두꺼비 머리 다칠세라/아라 감실로 다과라/**어혀 어혀 어혀 여허루 가래로세**/삼쇄서방三^{灑西方} 다굴 적에/거북 한 쌍이 들었으니/거북머리 다칠세라/아라 감실로 다과라/**어혀 어혀 어혀 여허루 가래로세**/사쇄북방四^{灑北方} 다굴 적에/업^{업구렁이} 한 쌍이 들었으니/업의 머리 다칠세라/아라 감실로 다과라/**어혀 어혀 어혀 여허루 가래로세**/어 여 여허 여허루 가래로세/**어 여 여허 여허루 가래로세**/앞의 앞 주산^{主山} 바라보니/노적봉^{露積峯}이 비쳤네/대대장자^{代代長者}가 날 명당/**어 여 여허 여허루 가래로세**/옆의 옆 주산 바라보니/문필봉^{文筆峯}이 비쳤네/대대 문장^{文章}도 날 명당/**어 여 여허 여허루 가래로세**/뒤에 뒷 주산 바라보니/노인봉^{老人峯}이 비쳤으니/수명장수도 할 명당/**어 여 여허 여허루 가래로세**/어이 청청 가래요/만첩청산 깊은 골/어이 청청 가래요/두꺼비 업도 다과보세/**어이 청청 가래요**/해도 밝고 달 밝은데/**어이 청청 가래요**/해달 업^業도 다과보세/**어이 청청 가래요**/액맥이 쟁쟁 요란한데/**어이 청청 가래요**/까치업도 다과보세/어이 청청 가래요~.”

"상여소리가 귀에 듣기 좋게 들린다면 그 사람은 나이를 먹은 것"이라는 말을 들은 적이 있습니다. 그것도 소리의 고장, 진도하고도 지산면 인지리에서 전승돼온 소리를, 현장에서 ‘오리지널 사운드’로 들었으니 귀가 호강을 한 것임을 나중에야 알게 됐습니다. 이런저런 횡사^{橫死}를 수없이 목격하는 현대사회, 망자^{亡者}도 수^壽를 누릴 만큼 누리다가 가장 한국적인 소리, 상여소리로 배웅받으며 가는 하늘길은 결코 서글플 것 같지 않았습니다. 그런 정경을 볼 수 없음이, 마을에서 〈상여소리〉를 들을 수 없는 것이 아쉬울 뿐입니다.

어서 가자 연지마야
바삐 가자 연지마야

우상기의 경북 영주 일노래

  언제고 한번은 가봐야지 하면서도 못 가본 '조정래 아리랑문학관'을 다녀왔습니다. 우리나라 그 어디에서도 볼 수 없는 지평선을 볼 수 있다는 김제평야. 전북 김제시 부량면에 위치한 벽골제碧骨堤 바로 옆에 자리잡은 '아리랑 문학관'에서 대하소설『아리랑』의 뿌리와 발자취를 봤습니다. 세편의 대하소설을 생산해낸 기간을 '황홀한 글감옥'이라고 했던 이 위대한 작가의 집념을 알 것 같았습니다. 당신의 재능은 아버지 조종현 시인(1906~1989, 1930년 조선불교청년총동맹 중앙집행위원, 만해 한용운과 함께 불교청년회 활동)의 토양에서 자라난 게 분명해 보입니다. 말하자면 청출어람靑出於藍이겠지만, 조정래 선생의 푸르름은 일제 식민지 시대를 타의에 의해 승려로, 시인으로, 교사로 살아야 했던 아버지의 쪽빛에서 나온 거라는 얘기지요.
  "영락없이 즈그 아버지 탁했네"라는 소리를 들어본 적 있으신지요. 콩심은 데 콩나고 팥심은 데 팥나듯, "씨도둑은 못한다"는 말처럼, 아버지와 자식은 얼굴이나 성질이 어찌 그리 닮은 데가 많아 제삼자들에게 동질감을 불러일으키는지요. 대하소설 『아리랑』의 아버지와 아들들처럼 말입니다. 조국을 떠나 만주의 늠름한 의병장으로 생을 마치는 송수익 대장과 송가원이 그렇고, 전형적인 악인인 백종두 부자와 장칠문 부자 역시 '씨도둑은 못하는' 부자상父子像을 보여줍니다. 돌연변이가 없지 않지만 대체로 부모 자식은 이렇게 재능과 성정을 세습하여 살아왔습니다. 그러니 모든 자식들은 그 아버지의 아들이요 그 어머니의 딸입니다. 어버이가 흘린 땀을 바탕으로 버팅기며 삽니다.

경북 영주시 문수면 승문리 막현마을에서 그 아들이기도 하고 아버지이기도 한 분을 만났습니다. 우상기 씨1912~ . 늦가을 벼 수확이 한창인 들녘에서 벼도 베고, 수확한 벼도 말리고, 배추밭도 돌보는 손끝이 매시랍습니다. 그 손매를 보니 얼마나 열심히 일하며 살아왔을지 알 것 같습니다. 흡사『아리랑』속 지삼출의 현현顯現 같습니다. 이 마을에서 태어났는데 젊은 시절을 방랑하며 보냈습니다. 경기도의 한 암자에서 상좌 노릇을 하기도 했고, 영화반 가설극장에도 따라다녔으며, 이런저런 직업을 전전하다가 다시 고향으로 돌아온 것이 30세 때. 할아버지와 아버지에게 선소리를 익혀서, 일대에서는 알아주는 소리꾼이 되었습니다.

"저 어른들은 옛날부터 타고난 목소리고. 위에서 선조 때부터 알아주는 전해오는 목소리라. 저런 어른들은." "부모에게 유전을 받았는 거 같애. 흥도 좋고 어른들 때부터 음성이 좋았다고. 노래 자랑 나가면은 일등했어 어른들도…" 할아버지가 아버지에게 물려준 밑천을, 다시 아들이 받아낸 것입니다. 그 용량이 엄청난데 혼자서 다 들려줄 수가 없어서 애를 먹었습니다. 옛날에는 같이 일하면서 부르던 노래건만, 지금은 같이 불러줄 뒷소리꾼들이 자기 일하느라 바빠서 만나기조차 어려운 형편이라는 겁니다. 공동노동이 사라진 21세기 농촌에서 노동요의 현주소가 이렇게 되었습니다.

우선 혼자서 부를 수 있는 일노래를 청했습니다. 지금처럼 방아 찧는 기계가 없던 깜깜한 시절, 이틀에 한번꼴로 방아를 찧어야만 밥을 먹을 수 있었습니다. 연자방아 찧으며 불렀던 노래입니다.

"성금사성금산:마을 인근의 산 생겨있고 학가산마을 뒷산을 줄기 받아/우리 마을 생길 적에/조상님들 터를 잡아/석수 불러 돌을 다듬어/다듬은 그 돌게다 연자매연자방아 세울 적에/소를 매와 굴려가면/어서 가자 연지마야/바뻐 가자 연지마야/너가 지금 아니 가면/우리 식구 굶어죽어/씻은 그 쌀에다/실코 실어쓿고간다는 뜻 백미 실어/백미 실어 현미 되니/바뻐 가자 연지마연지방아야/어서 가자 연지마야/내가 지금 아니 가면/ 우리 식구 못 먹는다/쌀을 씻어 집에 오니/우리 아기 젖 달라고 우는구나/그 쌀을 씻어다가 우리 식구 살 터인데/일공서산 해가 지면/너는 지금 못 가오니/월청에 달이 뜨면/쌀을 구해 올 것이냐/어서 가자. 연지마야/바뻐 가자 연지마야…"

"옛날에는 농사지어 가지고 전부다 보리같은 거 해가지고, 또 디딜방아가 있어. 이 발 디딜방아가. 디딜방애 찧어가지고 온종일 찧어봤자 두 끼밖에 못해먹어. 디딜방아로 찧어가지고. 밥을 해가지고 먹고. 또 그 뒷날 또 찧어야 되고 길쌈해야 되고…." 지게를 지고 일 나가면서 불렀던 노래는 '시집살이'가 소재입니다. 여성들이 부르는 이런 노래까지 기억하는 걸 보니 총기聰氣 하나는 타고난 모양입니다.

지게를 걸쳐메고 낫을 꽂고 들로 가세/이산 저산 다니면서 나무 한 그루 하자 하니/낭기나무 전형 전히 없다/이산 저산 다니다가 청솔가지를 꺾어메고/집으로야 돌아오니 우리 식구 마누라가/보리쌀을 앉혀가며/그럭저럭 밥을 지니/밥은 타서 누룽지가 되고/시어른께 드렸더니/꾸지람이 많고 많고/우리 식구 먹고 나니/가련하고 가련하다/형님 형님 사촌 형님/시집살이 어떻던고/시집살이 말도 마라…."

소리 보따리도 두툼하고 묵직합니다. 요즘도 근동에서 벌어지는 초상집에 불려다니는 일류 상여소리꾼입니다. "이거는 뭐 동네에서 하는 게 아니고 우리 부친께서 이런 소리를 많이 했어요. 내가 배웠어요. 갈쳐준 게 아니고 하는 걸 배웠어요. 우리 부친께서 노래를 하는 걸. 그게 뭐 책자에 나온 것도 아니고. 그냥 뭐 옛날 어른들이 밭 우겨가면서 했던 노래지." 촬영 전날 출상이 있었다는데, 그걸 놓쳐서 참 아쉬웠습니다. 옛날 연자방아 찧으면서 불렀던 〈연자매 소리〉 집터를 다질 때 불렀던 〈지짐이 소리〉는 경북 산간지역에서나 들을 수 있는 희귀한 자원인 듯했습니다.

"오호 지짐이여/오호 지짐이여(후렴)/명산 불러 터를 잡아/오호 지짐이여/한푼 두푼 모은 흙을/오호 지짐이여/망개에다 돌을 달아/오호 지짐이여/백명이면 매달려서/오호 지짐이여/앞사람은 뒤우러 땡기고/오호 지짐이여/뒷사람은 뺙 차여래공중으로 힘차게 올라가게 한다/오호 지짐이여/망개 하나 지을 적에/오호 지짐이여/일척 두척 들어가니/오호 지짐이여/지짐이 달개지짐을 다질 때의 소리가 봉분을 다지는 소리와 유사하므로 지짐이와 닭개를 병치한 것 이 소리에/오호 지짐이여/만사 군사 이 아닌거/오호 지짐이여/역역이 터를 잡아/오호 지짐이여/쿵덕쿵덕 집을 지어/오호 지짐이여/부귀공명 터를 닦아/오호 지짐이여/한 터를 잡을 적에/오호 지짐이여/어느 풍수 잡았는고/오호 지짐이여/천하에 제일 가는/오호 지짐이여/일류풍수 불러다가/오호 지짐이여/자좌오향子坐午 向 : 자방인 북쪽을 등지고 오방을 향함. 즉, 정남방으로 앉음 가려내어/오호 지짐이여/천하명지천하의 명당 터전 잡았으니/오호 지짐이여/자를 노면 자자에/오호 지짐이여/자자에다 집을 받쳐/오호 지짐이여…."

1. 4. 5. 6. 7. 8. 마을에 공동체 문화와 공동노동이 살아 있던 모습

　잠깐의 촬영을 위해서 뒷소리꾼 구하기란, 개인화된 농촌에서 놉 구하기 어려운 것과 다르지 않았습니다. 그래도 우씨는 뒷소리꾼 없이 하는 소리는 하지 않았습니다. 아무리 옛날 시절의 노래라 하더라도, 하던 대로가 아니라면 하지 않는 법이라 했습니다. 가을걷이 일손 바쁜 마을 분들을 겨우겨우 수소문해서 우병락, 우무수, 여병철, 여해철 네 분의 뒷소리를 받아낼 수 있었습니다. 그 옛적 몸속에서 들끓고 있는 예능을 어찌 제멋대로 만들어 부르겠느냐는 것이지요. 뒷소리꾼 없이는 소리를 할 수 없다는 이 소리꾼의 분명한 주장, 뒤늦게야 알 수 있었습니다.

　이 분들의 한결같은 이구동성은 공동체에 대한 깊은 향수였습니다. 할아버지 아버지 세대로부터 이어받고 주고받던 시절에 대한 그리움, 그것이었습니다. "그 전에는 전부 재래식으로 했지 뭐. 논도 사람이 갈고 써레질도 사람이 하고 전부 다 사람이 했지. 그때가 참 농촌 살기 좋았어 인정이 좋았어 그때는. 그때는 노놔먹을 줄 알고 그랬는데 지금은 자기밖에 모르니까 시대가."(여병철, 마을이웃) "상여는 뭐 동네가 커가지고 초상이 나면 꼭 상여를 메고 했잖아요. 지금은 간소화됐지만 옛날에는 대인원이 돼가지고 거창하게 멨지요."(우무수, 마을이웃) "그때는 못 살아도 못 먹고 살아도, 집에서 토종닭 멕여다 닭 한 마리 잡으면 큰집도 주고 작은집도 주고. 우리 동네 옛날에 술집이 많았어요. 겨울철 되면은 전부다 젊은 사람들이 동네에 많았고 또래들도 많았고. 겨울철 되면은 군불 뜨듯하게 넣어놓고 거기에 들어앉아 술방내기도 하고. 그때가 시절이 살기는 인정 있고 살기가 좋았죠." (우상기)

물질적으로는 풍요로운 세상이 되었지만 그 이면의 허허로움을 말하고 있는 것입니다. 듣고 보니 이 분의 소리자원은 한번 듣고 흘리기에 아깝습니다. 일류 목쟁이, 그리고 일터에서는 듬직한 한국의 아버지. 이런 분들을 만나고 돌아오는 길에는 우리가 잃어가고 있는 뭔가에 대한 그리움이 아슴아슴 스며옵니다. 어른들의 상여소리도 추억을 향해 부르짖는 것 같이 들려옵니다.

"오호 덜기요/오호 덜기요(후렴)/달구소리 나시거든/오호 덜기요/누구 누구 모였는고/오호 덜기요/영주시라 문수면에/오호 덜기요/일류 명장 다 모였네/오호 덜기요/잘하면은 상을 주고/오호 덜기요/못하면은 낙방시켜/오호 덜기요/술 한잔도 전혀 없네/오호 덜기요/이 터를 잡을 적에/오호 덜기요/어느 지관地官 잡았는고/오호 덜기요/김지관金地官이 잡았는지/오호 덜기요/이지관李地官이 잡았는지/오호 덜기요/천하에 제일 가는/오호 덜기요/일류 지관 불러다가/오호 덜기요/좌우로 펼쳐놓고/오호 덜기요/자좌오향子座午向 가려내니/오호 덜기요/여기가 명당일래/오호 덜기요…."

머리야 좋고도 잘난 처녀
백년 언약을 내캉하세

이근우의 청송 들노래

　우리나라 땅덩어리가 참 넓다는 생각을 합니다. 사람마다 다르고, 마을마다 다르고, 지역마다 다른 것이 문화이고 보면 9개 도나 되는 우리나라는 얼마나 다양하고 실뿌리가 여러 갈래겠는가 싶습니다. 제주도, 충청남도, 경기도, 강원도를 거쳐 경상북도로 첫걸음을 했습니다. 사과와 감호소 앞에 붙는 수식 지명으로 익숙한 청송. 심씨의 본향으로도 잘 알려진 곳입니다. 광주에서 88고속도로를 통해 3시간 남짓 걸리는 대구 어디메쯤 있는 줄 알았지, 어디쯤 붙어있는지 몰랐습니다. 대구에서도 북동쪽으로 1시간 남짓을 달려, 험준한 산령을 넘어가는 길. 주왕산 국립공원이 배후에서 받쳐주고 있는 터에 자리잡고 있는 곳이 청송입니다.

　터덜거리는 도로를 가며 생각했습니다. 경북 지역은 개발독재 시대에 시혜를 받은 땅인데, 왜 이렇게 산간 오지일까. 원래 생긴 지형이 이런 것일까. 구불구불한 편도 1차로의 국도 지방도에, 오르막길 투성이의 산길을 거쳐 가는 차가 헉헉대는 기운이 완연했습니다. 대구경북 지역 가운데 이곳만 상대적으로 혜택을 못 받은 소외지역이란 말인가. 그러다가 섬광처럼 번뜩 떠올랐습니다. 바로 1998년 국민의 정부가 출범한 뒤 영남지역에서 떠돌던 이런저런 유언비어들 말이지요. "IMF가 끝나면서 영남은 쪽박을 차는데 호남은 모든 길이 삐까번쩍해진다카더라"식의 이야기가 나돌았습니다. 호남 사람들은 역차별이라며 DJ정부에 서운해 하고 있던 시점인데 말입니다.

　그렇게 눈들이 얕았습니다. 개발의 잣대로 남의 떡을 보느라 여념이 없었던 것입니다. '피폐해져가는 농촌'이라는 시각으로 보면 영호남이 따로 일 수 없고, 충청 강원이 매한가지일 수밖에 없는데 말이지요. 목적지인 경북 청송군 부남면 중기2리에 다다르자 온통 사과밭입니다. 전남 나주의 배처럼 경북 청송의 사과는 지역 전체를 대표하는 브랜드인 듯, 늦가을 기운이 올라오는 마을마을마다 사과 따는 일손들이 부산합니다. 산중턱 묘지에서 노인들끼리 묘사^{墓祀} 지내는 인적이 간간이 보일 뿐, 청송은 죄다 사과밭처럼 보입니다.

　우리나라 토속어 가운데 알아먹기 어려운 순서를 메기면 어떨까. 제주도에서 80 넘긴 할머니와 이야기를 나누면서 '국내에 엄존하고 있는 외래어' 해독에 애를 먹은 적이 있었습니다. 그때 당연히 제주 토속어가 1순위라고 여겼는데, 이번에 청송에서 이근우 씨^{1936~} 를 뵙고는 순서가 바뀌었습니다. 프리뷰를 하던 스크립터는 전체분량의 1/3 가량에 물음표를 그려놨고, 자막 작업을 도와주는 사람도 머리를 절레절레 흔들었습니다. 이건 소통의 문제가 아니라 언어표현의 이질성에 대한 문제였습니다. 모든 경북지역 노인들이 '우리말 외국어'를 쓰지는 않을 것이라 치면, 혼자 주워섬기듯 하는 이근우 어르신만의 화법상 특징일 것입니다. 여하튼 말씀을 해독하는데 무척 애를 먹었습니다.

　이근우 어르신은 마을에서 큰일꾼 소리를 들으며 살았지만 수년 전에 허리와 왼다리가 무너지면서 말년이 불우해졌습니다. 근근이 농사일을 해왔지만 5년 전에는 아예 작파하고 방안통수 병자가 되고 말았던 것이지요. "젊어서는 이 동네에서 큰일꾼이라고 소문이 났어요. 일을 그만치 했는데 요즘에

는 이래 병들어서 (일을 못하고 나앉은 지가) 한 8년 됐어요." 경로당에 가 있
거나 마을 고샅 나들이하는 시간을 빼고는 집안에 누워있어야 하는 처지. 방
안 공기가 차갑고 을씨년스러웠습니다. 왕년에는 들판을 누비는 일꾼이자
선소리꾼이었는데, 지나간 세월이 아득할 뿐입니다. 손님도 그닥 반갑지 않
다고 하셨습니다.

차갑게 식어있던 당신의 마음을 달군 것은 역시 '유급' 옛 노래였습니
다. 확실히 노래는 세대를 일치시키는 마법의 예술인 듯했습니다. 일하면서
노래하고, 막걸리 한잔에 고단함을 잊었던 세대들에게 노동요나 농요는 강
렬한 추억의 매개였습니다. "뭐 노래를 많이 하고 그래 하면 좀 낫지, 낫고.
우리가 그것보다도 청춘가 같은 거나 뭐 노랫가락 이런 거 술 한잔 먹고 놀
다 보면은 노래 잘한다고 니 노래 한마디 해라 뭐 이런 소리 들어요."

선후창 방식으로 하는 전라도 지역의 들노래와 달리 이 지역의 들노래는
메기는 소리의 연속이었습니다. 아침 나절에 하는 소리, 오후 나절에 하는 소
리 가사가 다르다고 했습니다. 이 마을에서 부르던 모심기노래 한 대목입니다.
"물꼬는 어정청 얼워놓고/쥔네 양반은 어디 갔나/문어야 대_사전복 손에 들고
/첩의 집으로 놀러갔네/새야 새야 청조새야/니 어디 자고 이제 오나/수양청
청 버드 낭기_{나무}/이리 흔들 저리 흔들 자부네/머리야 좋고도 잘난 처녀/줄뽕
낭기_{나무} 위에 걸앉었네/줄뽕 울뽕은 내 따줌세/백년 언약을 내캉_{나랑} 하세…"

자장면 면발 뽑듯 줄기차게 뻗어나오는 노랫말, 선소리꾼이 혼자서 계속
부르는 노래는 속뜻이 들어있습니다. "뭐 그기_{노래 가사가} 전부다 뜻이 있는
거라 그게. 왜 그렇게 만들었는지는 몰라도 옛날 어른들이 그래 하니까. 저
녁 나절 되고 해가 다 돼가니까 자연적으로 뭐 오늘 해가 어이 됐노 그카고.
오후 참 먹으면 또 술을 한잔 먹고 자연적으로 일을 하다가 노래를 하고. 이
라먼 허리도 덜 아프고 사람이 좀 숩어_{일이 쉬워}."

오후참을 먹고 나서 부르는 노래가 또 있습니다. "해 다 진다 해 다 진다

/서녘 양산에 해 다 진다/방실방실 웃는 얼굴/못다 보고 해 다 지네/오늘의 해가야 어이 되어/골골마다 연기 나네/우리야 임은 어딜 가고/연기 낼 줄을 모르는고…" 이렇다가 흥이 더 오르면 〈치이야 칭칭나네〉로 들어갑니다. 전라도의 〈진도아리랑〉처럼 경상도의 〈치이야 칭칭나네〉는 신명나는 민중들의 놀이판입니다. "치이야 칭칭나네/늙어지면 못 노나니/치이야 칭칭나네/천지만물 생긴 후에/치이야 칭칭나네/무엇이 제일인고/치이야 칭칭나네/우리 인생이 제일이라/치이야 칭칭나네…."

〈벤자민 버튼의 시간은 거꾸로 간다〉라는 영화를 보면 나이듦에 대하여 성찰할 수 있습니다. 나이듦은 나약해지는 것이고, 어린애처럼 상처받기 쉬운 일이라는 것을 잘 보여줍니다. 나이듦에 대한 성찰, 노인을 함부로 대할 수 없는 아픈 성찰을 제공하지요. 노인복지를 다루는 사람들은 말합니다. 미세한 말 한마디의 톤에 따라서 받아들이는 노인들의 심리는 엄청난 차이를 보인다고. 상처 주는 말과 마음을 따뜻하게 하는 말이 크게 다르지 않다고. 그래서 "노인들에겐 말을 따뜻하게 하는 것 만한 효도가 없다"고 하는 걸까요.

감당할 수 없을 만큼 몸이 무너지면서 말년이 불우한 이근우 씨. 방안 가득한 비관의 기운. 이 분을 보며 치유에 대해서 생각해 봅니다. 현재의 처지가 불우하든, 살아온 과거가 불우했든, 선소리꾼으로 살아온 이들에게 선소리 한바탕을 풀어내는 마당은 치유 효과가 있겠다는 생각입니다. 촬영을 마칠 무렵 어르신의 표정이 상당히 밝아지셨습니다. 인터뷰 중간중간에 내비치던 신변 비관용 멘트들이 쏙 들어간 걸 봤습니다. 누구든 남으로부터 존재감을 인정받는 것, 그것으로 우울한 기운을 충분히 떨쳐낼 수 있는 것이었습니다.

경기도 허구도 원당땅에
삼각산이 명산이 되구요

이금만의 원당 상여소리

MBC TV의 장수 드라마 〈전원일기〉를 기억하시는지요? '양촌리'를 배경으로 펼쳐졌던 농촌 드라마. 산업화, 자본주의화의 물결 속에서도 "그래도 농촌이야말로 따뜻한 마음의 고향이야"하는 훈훈함을 전해주던 프로그램. 그 화요일 저녁의 홈드라마가 편성 시간을 빼앗기고 일요일로 옮겨가더니 결국 20여 년 세월을 남기고 사라졌던 기억이 선명합니다. 정확하게는 1980년 10월 제1화 '박수칠 때 떠나라'로 시작해 2002년 12월 제1088화 '박수칠 때 떠나려 해도'를 마지막으로 22년간 방송되었더군요. 당시 〈전원일기〉의 폐지를 아쉬워했던 사람들이 많았습니다. 인기 프로그램의 존폐는 수용자의 반응온도에 가장 큰 영향을 받을 텐데, 〈전원일기〉가 더 이상 시청자들에게 정서적으로 먹히지 않는다는 판단은 진작 있었겠지요. 버티고 버티다가 사라질 수밖에 없는 운명이었겠지요. 고향으로서, 식량기지로서, 건강한 마을 공동체문화의 구심으로서, 농촌의 위상과 가치가 이미 무너져버렸으니 말입니다. 가끔 〈전원일기〉를 안방극장으로 다시 불러내면 어떨까 생각해 보지만 쉽지 않을 것 같습니다. 입맛이 변해버린 소비자들의 입맛을 만족시키기엔 너무 구식이 돼버린 게 아닌가 싶어서 말이지요.

이명박 대통령이 새로 청와대의 주인이 된 2008년부터 많은 사회적 갈등이 있었습니다. 사람들은 민주주의의 역류遡流라고 했습니다. 정치사회적으로는 그랬지만, 우리 국민들의 경제적 마인드는 그 이전부터 변하기 시작했습니다. 〈전원일기〉가 폐지되기 훨씬 전부터, 그러니까 1993년 김영삼 대통령의 집권과 함께 '세계화' 바람이 불면서부터가 아닌가 싶습니다. 이른바 민주개혁정권이라는 '국민의 정부' '참여정부'를 거치면서 사회 전분야에서 경쟁과 효율을 앞세운 신자유주의 자본화는 심화되었습니다. IMF 체제는 우리 사회의 안전망을 뒤흔들었지요. 공동체의식 대신 내 가족과 내 새끼들은 살아 남아야 한다는 가족이기주의는 심화되었고, 정의나 민주주의적 가치 보다 돈資本이 우선이라는 인식이 뼛속까지 스며들었습니다.

2010년 초 정국을 뜨겁게 달군 '세종시 논란'도, 참여정부에서 역점사업으로 추진한 국가 균형발전도, 그 속내를 들여다보면 개발의 논리가 잠복해 있습니다. 수도권의 부동산不動産만 아니라 지역의 부동산不動産도 고루 발전해야 한다는 논리. 생태적, 자연적, 환경적 가치는 부각되지 않습니다. 새해 덕담으로 "부자 되세요"란 인사말이 자연스럽게 쓰이는 물질 중심의 사회, 이런 사회에서 도시 빈민이나 농촌에 남아있는 이들은 시쳇말로 '루저'인 것이지요.

이 루저들이 갖고 있는 미덕과 장점은 눈부신 발전을 거듭하는 문명세계에서 부각되지 않습니다. 그 반대쪽으로 가야만 제대로 볼 수 있지요. 일산이 신도시로 개발되기 전까지만 해도 농촌이었던 곳, 은평구 구파발에서 버스타고 들어갔던 원당이라는 농촌을 고향으로 갖고 있는 이금만 씨1934~. 얼핏 '루저'로 보이는 이씨도 머릿속에는 〈전원일기〉의 정서로 꽉차 있는 분입니다. 말 사이사이에도, 즐겨부르는 노래 사이사이에도 "그 옛날의 금잔디 동산에 올라" 타령입니다. 원래 살던 집은 재개발지로 바뀌어 포클레인

1. 학창 시절   2, 4. 젊은 시절

이 떡 들어앉았고, 자식들의 도움으로 아파트에서 살고 있지만 아파트 생활은 견디기 힘들게 적적하다고 했습니다. 낮 시간엔 역시 재개발에 밀려 컨테이너 박스 살림을 하고 있는 경로당에 발길이 잦았습니다. 널따란 아파트를 놔두고 아예 경로당에 죽치고 앉아있기 일쑤구요.

그는 고향을 잃어버렸다고 했습니다. 논밭은 온데간데없고 쭉쭉 올라선 아파트 단지, 상가 건물, 모텔 호텔촌이 되어버렸습니다. 상전벽해桑田碧海, 아니 전답첨탑田畓尖塔이라고 해야 하나. 아무튼 수도권의 변두리 농촌이었던 원당은 신도시 일산 속으로 파묻혀 버리고, 농민 이금만은 신도시의 할 일 없는 노인네가 되어버렸습니다. 가난했지만 농민의 삶이란 자기 땅을 갖고, 자기 결정으로 어느 땅에 어느 작물을 키우고 거두는 생산주체였습니다. 도시민의 삶이란 어느 조직이나 모임에 소속되지 않으면 철저하게 개인적이고 소외적인 존재로 놓이게 마련입니다. 자식들에게 농지를 물려주고 난 노인은, 그래서 노인당에라도 드나들지 않으면 안 되는 것입니다. "옛날 옛날이 그립죠. 생활수준이라든지 이런 거는 참 좋아졌지만 그때만큼 맘이 편안할 리가 없죠. 옛 모습이 없어지니까 우리네 입장에서는 안타깝고 아쉽고. 사실 지금도 딴 지역에 농촌 같은 데 가게 되면 그런 데 가서 살고 싶은 생각이 들 정도니까."

나이가 들수록 고향을 향하는 마음은 강렬해지나 봅니다. 대도시마다 빠짐없이 생겨나는 향우회, 동문회도 알고 보면 고향에 대한 뜨거운 애착의 반증일 테지요. 특히, 죽음을 앞둔 환자들이 안태고향을 가고 싶어 한다고 하지요. 『죽을 때 후회하는 스물다섯 가지』를 쓴 오츠 슈이치 씨는 말기암 환자들에게서 수구초심을 많이 발견했다고 합니다. 죽음을 얼마 남겨두지 않고 꼭 고향을 가보고 싶다고 고백하는 환자들이 많았다는 겁니다. "누구나 죽음 앞에 서게 되면 과거를 돌아보게 된다. 그럴 때면 어린 날의 기억이 더욱 또렷하게 떠오른다. 치매에 걸린 환자들을 보면 어린 시절의 기억으로 되돌아가는 경우가 많다. 그럴 때마다 나는 어릴 적 기억이 얼마나 단단한 뿌리가 되어 사람의 마음에 박혀 있는지 다시 한번 실감하곤 한다."

이금만 씨는 공동노동의 기억을 잊지 못하는 것입니다. "아 그 당시엔 참 좋았죠 정말. 천하지대본天下之大本이라고 하는 농기 메고 다니면서 김매고 또 낼 시절에는 떼로 몰려서 옛날 품앗이지 그때. 하루 왼종일 일하고 저녁에 들어가면 그 당시에는 저녁 먹어도 잠자리에 들 때까지는 둘레둘레 모여서 모깃불 놓고 옥수수 뜯어먹어 가면서, 옛날 얘기 그때말로 옛날 얘기해가면서 살 때 참 좋았죠 좋았어."

원당이 농촌이었을 때 마을에서 날리던 소리꾼이었던 이씨에게 그 기억의 매개는 바로 들노래와 상여소리였습니다. 이씨와 비슷한 고향 상실감을 갖고 사는 정형수 정춘형 남상오 씨가 마을 경로당에서 한잔 드시고는 들노래상사소리를 풀었습니다.

"(뒷소리)닐닐닐 **상사도야**/(앞소리)뭣이 그리워 상사가 났나/닐닐닐 **상사도야**/옷이 그리워 상사가 났나/닐닐닐 **상사도야**/밥이 그리워 상사가 났나/닐닐닐 **상사도야**/밥도 아니요 술도 아니요/닐닐닐 **상사도야**/옷도 아닌게 분명은 한데/닐닐닐 **상사도야**/상사소리가 웬 소리냐/닐닐닐 **상사도야**/상사 부름서 기분 좋게/닐닐닐 **상사도야**/살기나 위해서 상사가 났네/닐닐닐 **상사도야**…"

발동이 걸린 어르신들은 타임머신을 타고 20~30년 전 기분으로 돌아가는 듯했습니다. "김매러 가면 소리해 가면서 그냥 술 한잔 먹으면 춤들 추고 뭐. 그리고 농악대 치게 되면 그거 와서 저녁때 한잔 먹고 두들겨 놀잖아요. 많이 두들기고 놀았죠 뭐. 그때 당시가 참 좋았어."(정형수) "움츠리고 있는 것보다는 옛날 노래를 하면은 기분이 항상 상쾌하지. 위안이 되지 위안이.

잡념이 없어져 버리지. 그거 들으면 잡념이 일체 없어 또 힘든 것도 몰라."
(이금만)

　"앓던 무당도 굿판이 열리면 벌떡 일어선다"는 속담이 있습니다. 어떤
사람이든 힘이 없다가도 좋아하는 일, 잘하는 일이 생기면 힘이 생긴다는
말입니다. 그 말에서 '앓던 무당' 대신 '이금만 씨'를, '굿판' 대신 '소리
판'이란 말을 넣으면 똑 떨어지는 말이 됩니다. 소리 하라고 부르는 곳이
있으면 마음이 달뜨고 설렌다는 이. 친정 나들이 할 날 받아놓은 며느리처
럼, 휴가날 받아놓은 이등병처럼, 가벼운 흥분이 느껴지는 어르신의 표정
을 보았습니다. 매년 고양시 시민단체에서 해온 민간인 학살 위령제에 상
여소리꾼으로 초청받은 것입니다. 용돈벌이 한다는 것보다도, 의미 있는
일에 늠름하게 나서는 순간 맛보는 성취감이 온몸을 휘감는 것입니다. 도

심을 가로질러 상여가 나가고, 젊은 상두꾼들이 뒷소리를 받아주는 가운데 요령鐃鈴을 든 이금만 소리꾼의 목청이 우렁차게 퍼져나갑니다. "경기도 허구도 원당땅에/오호옹 오호에(뒷소리)/삼각산이 명산이 되구요/오호옹 오호에/각도의 명산을 다 찾어봐도/오호옹 오호에/제일 명산이 여기로구나/오호옹 오호에…."

마을길을 따라가는 '진짜' 상여행렬이 아니라 경찰의 호위 속에 도심을 지나쳐가는 행사 상여행렬이지만, 상여의 풍습은 정말 한국적입니다. 특히, 오늘 이 순간을 기다렸다는 듯 굴건 제복을 하고 앞소리를 메기는 이금만 어르신의 표정은 부족국가 시대 대사大事를 집행하는 제사장의 모습처럼 위풍당당합니다. 상여 앞소리에는 전국의 명산대찰도 등장하고, 음력 24절기도 나옵니다. "…칠월달로다 들어서면/오호옹 오호에(뒷소리)/입추 처서가 들어나 있고/오호옹 오호에/팔월 달로다 들어서면/오호옹 오호에/백로 한로가 들어있네/오호옹 오호에/구월 달로다 들어나 서면/오호옹 오호에/한로 상강이 들어나 지고/오호옹 오호에/시월 달로다 들어나 서면/오호옹 오호에/입동 소설이 들어나 있고/오호옹 오호에…."

그렇게 입 밖으로 나오고 싶어 하는 소리들을 가둬놓고 사는데 무슨 재미 일꼬 싶을 만큼 끝없이 흘러나오는 앞소리. 사시사철 때가 되면 으레 〈들노래〉며 〈상여소리〉며 미끈미끈 쏟아내며 살았던 농경 시대가 그리울 수밖에 없는 〈전원일기〉 세대. 심심풀이로 뒷산 산책을 다닐 때면 평소에 자신이 부른 옛 노래를 녹음해서 듣고 다닐 정도라고 하니, 이 양반이 얼마나 소리맛에 취해 사는지 알 만합니다. 그런 즐거움을 마이너리티 인생으로 추락하게 해버린 이 문명천지가 안타까울 수밖에. 노래할 때 얼굴에 도는 활력과 흥분감을 보며 잠자고 있던 이금만 어르신의 향수에 불을 지른 듯했습니다. 옛 시절의 추억과 노래가 있는 한, 당신 마음속에서는 오늘도 〈전원일기〉가 계속되고 있습니다.

돌고 돌아 연자방아
자주 찧는 깨방아일세

이영재의 포천 메나리

전국 방방곡곡의 토속소리를 집대성한 '한국민요대전' 사업이 1990년 즈음에 이뤄진 걸 감안하면 참 많은 세월이 흘러버렸습니다. '토속'이라는 어감 자체가 때묻지 않은 순수함의 느낌보다는 여러 상품군 가운데 하나로 느껴지는 시대, 토속 소리를 찾는다는 게 시대착오적인 듯한 생각이 듭니다. 토속 소리라는 것도 원석의 느낌보단 가공된 것, 즉 보석화된 상태가 많다고 해야 할까요.

경기도 포천. 막걸리와 산정호수로 이름 높은 이곳이 언제 시 승격이 됐는지 아득하기만 한데, 크고 작은 공장들이 야트막한 논밭과 산을 가리고 있습니다. 농촌 느낌보다는 눈치 빠른 개발업자들과 자본의 손길이 땅 곳곳에 뻗쳐있는 듯한 소도시입니다. 아마 5년에서 10년 뒤에 땅값 상승을 기대하는 부동산 매물이 많은 땅을 점유하고 있을 듯합니다. 여기에도 원석의 느낌보다 보석 느낌을 주는 옛 민속 한 종목을 만날 수 있었으니, 바로 〈포천 메나리〉입니다.

　〈포천 메나리〉는 경기도 포천 지방 농민들이 농사를 지을 때 힘들고 무료함을 달래기도 하고 일의 능률을 올리기 위해 부르던 노동요勞動謠 가운데 하나입니다. 2000년 8월에 경기도 무형문화재로 지정되었습니다. 농사짓는 과정별로 각기 다른 소리가 있는데, 산에 들어갈 때와 산에서 나올 때 부르는 〈나무꾼 소리〉, 써레질할 때 부르는 〈소몰이〉, 모심을 때 부르는 〈열소리

〉, 첫 논맬 때 부르는 〈방아타령〉, 두벌 논매는 소리인 〈메나리〉, 〈담쌓는 소리〉〈새 쫓는 소리〉 등이 있습니다. 그 가운데 두벌 논맬 때 부르는 〈메나리〉가 중심이 되어, 이런 모든 과정의 소리를 〈포천 메나리〉라 통칭하는 것입니다.

〈메나리〉는 힘차면서도 구성집니다. 대개 호남, 충청지역에서는 논매는 소리를 메기고 받는 식으로 부르는데, 〈포천 메나리〉는 '메기고, 지르고, 받고, 내고, 맺는' 다섯 조로 역할분담을 해서 부르는 게 특징입니다.

이 종목의 문화재 예능보유자 이영재 씨1934~ 댁을 찾았습니다. 무형문화재라 해서 멋진 집에서 부자로 살고 있을 거라 짐작하면 짧은 생각이지요. 평범한 농부에 다름없습니다. 공연할 일 드물고, 찾아오는 이 거의 없습니다. 군이 말하자면 초야에 묻혀 있는 이름난 토속 소리꾼입니다. 지게 메고 산에 올라 옛날 옛적에 부르던 노래를 불러달랬더니 서슴없이 응해주십니다. 이미 추수철 다 지난 허허벌판에서 옛날 모심고 논매던 시절의 노래를 해달랬더니, 소주 한잔 벌컥벌컥 들이마시며 "그러마" 하십니다. 노래에 굶주렸다는 듯, 알고 찾아와 줄 이를 애타게 기다리고 있었다는 듯….

옛 속담에 "지게를 지고 제사를 지내도 제 멋이다"는 말이 있습니다. 무슨 일을 하든지 간에 자기가 좋아서 하는 일이니 남이 간섭하든 말든 상관하지 않는다는 뜻이지요. 이영재 어르신이 함께 노래 하자고 부른 양무성 씨1943~ 이창해 씨1950~ 와 함께 얕은 뒷산에 지게지고 올라서니 그 속담이 떠올랐습니다. 보는 이들이 뭐라건 당신들은 즐거운 과거로 돌아간 겁니다.

"아리랑 아리랑 아라리요/아리랑 고개를 넘어간다/만나보세 만나보세 만나보세 아주까리 정자로 만나보세/아리랑 아리랑 아라리요/아리랑 고개를 넘어간다/산골의 머루 다래는 잘도나 열고/이웃집의 우리 총각 어디 가나/아리랑 아리랑 아라리요…."

논에 넣을 풀을 베려고 산에 들어갈 때 부르는 노래, 〈포천 메나리〉가운데 도입부인 〈입산가入山歌〉입니다. "지금은 비료가 있고 하지만 옛날에는 순전히 풀만 비어다가 논이고 밭이고 거름으로 넣은 거니까. 한해 농사를 지으려면 봄에 풀부터 비어다가 논에 넣어야 하니까. 이게 처음 시작이죠.(이영재)" "소리를 안하고 그냥 지게지고 내려올려면 무척 힘이 들거든. 그래서 힘좀 덜려고 나오지 않는 소리를 질러가면서 내려오고. 산에 가서 소리 해가면서 풀비고 나무하고 그랬죠.(양무성)"

그렇게, 일과 노래가 동전의 양면처럼 붙어있었던 시절이었습니다. 가창자歌唱者가 느낀 대로 지어 부르면 노래가 되던 시절 말이지요. "땀은 뚝뚝 떨어지고/다리는 홀홀 떨리는데/어찌나 갈꼬/여기 봐라 어렵구나/배는 고파서/차마 진정 못 가겠네." 이건 느낌을 표현한 말이 아니라, 산에서 나무를 해가지고 내려올 때 부르는 〈하산가下山歌〉입니다. 이 노래들이 어렸을 적 들판에서 옛어른들에게 듣고 배운 것이랍니다. "어려서는 어른들 쫓아다니면서 일 배웠죠. 노래라는 것도 지금은 악보가 있고 선생이 가르치는 게 있었지만, 그 전에는 하나도 없고, 그래서 잘하는 양반들 쫓아다니다 보면 눈썰미 있고 한 사람들은 목청이 좋고 하면 배우고. 그렇게 옛어른들이 선생님이지. 먼저 하신 선생님한테 배우게 되더라고."

지역마다 말의 억양이 다르고 사투리가 다른 것을 일러 지역색地域色이라고 합니다. 소리의 색깔과 맛도 그렇습니다. 지역마다 어쩌면 그렇게 다른 건지 신기할 따름입니다. '메기고 받는' 구조로 짜여 있는 호남지역의 들노래를 듣다가 경기도 농부들이 '메기고 지르고 받고 내고 맺는' 구조로 부르는 들노래를 접하니 낯설고도 신선합니다. "하나 하나 하나냐 둘/둘이냐 셋 셋이나 넷/넷이냐 다섯 다섯 여섯/여섯 일곱 일곱 여덟/여덟 아홉 아홉 열/여기 저기 심어도 사방 줄모로 심어라/하나냐 하나 하나냐 둘/둘이냐 셋 셋이냐 넷/넷이냐 다섯 다섯 여섯…." 무슨 수를 세는 것 같은데, 이렇게 계속

1. 논에서 〈포천 메나리〉 공연   2. 3. 4. 6. 놀이판에서   5. 〈포천 메나리〉 공연 후 전수관 앞에서

이어가는 것이 〈모심기 노래〉입니다.

논맬 때 부르던 노래는 초벌 논맬 때 부르던 〈방아타령〉과 두벌 논맬 때 부르던 〈메나리〉가 있는데, 왕년의 소리꾼이 들려준 〈방아타령〉은 오뉴월 엿가락 늘어지듯 느린 〈긴 방아타령〉과 〈자진 방아타령〉이 있습니다. 느린 장단은 "언제 끝나지?" 궁금할 정도로 느립니다. "에 에 에헤요/어하 우겨라 방아로구나/너니가 난실 나니로구나/내나로 방아가 좋소." 이렇게 후렴 끝까지 하는데만 1분이 넘어가지요. 〈자진 방아타령〉은 일이 빨라질 때 부르는 것으로, 귀에 척척 감기는 느낌을 줍니다. "에이여라 방아요/산에 올라 수진 방아/에이여라 방아요/들에 나려 디딜방아/에이여라 방아요/돌고 돌아 연자방아/에이여라 방아요/찧기 좋은 나락방아/에이여라 방아요/자주 찧는 깨방아일세/에이여라 방아요/혼수 끝엔 보리방아/에이여라 방아요…."

두레패와 어우러져 푸른 논에서 노래 부르며 일하던 시절은 까마득한 세월 저편이지만, 장단에 맞추어 노래를 하다 보면 그 기억에 닿을락말락하는 모양입니다. 큰 잔으로 소주를 듬뿍 부어 마시면서 옛 기억을 되살려냅니다. 그렇게, 문화라는 것은 공동의 기억에 엉겨 붙어 있어서 질긴 생명력을 발휘하나 봅니다. "지금 양반들은 (옛날에) 배고픈데 어떻게 소리가 나오느냐 하는데, 그게 아니에요. 배고파도 여럿이 조금이라도 서로 거들고 하면 단합심이라는 게 그렇게 무서워요. 들에서 배고픈 것도 잊고 떠들다 보면 허리 아프고 힘든 것도 잊고. 그래서 옛날 노인들이 하신 것 같아요…." 80을 바라보는 나이. 이영재 할아버지가 옛날 노인들 이야기를 하니 묘한 느낌입니다.

경기도 지역 어르신들을 만나면서 느끼는 공통점이 있는데, 바로 고향 상실감입니다. 1950년 한국전쟁 때 월남한 분들의 실향감과는 또 다른, 원래 있었던 것의 상실을 받아들이는 쓸쓸한 마음. 그런 종류의 실향감失鄕感이 느껴집니다. 가슴 밑바닥에 가라앉아있는 그 감정은, 술 한잔에 강력하게 부각됩니다. "여기 원주민이 그래도 40~50명 되는데 지금은 20명도 안돼. 이런 세상이 왔어요. 지금 공장 들어와서 처음엔 좋다고 그랬죠. 뭐 밥장사 잘되고, 이것이 처음만 그랬지. 지금은 다 죽어가 다. 공장 다 놀아. 이거 옛날에는 다 논이야 다 논. 다 산이었고. 이렇게 헐어서 가동도 못하는 공장짓고 이렇게 해놔서 말도 못하죠…." 돌아갈 수 없는 시절에 대한 그리움과 회한이 술 한잔에 섞입니다. 그래도 노래는 사라지지 않고, 이렇게 또렷이 남아 그리움을 달래주니, 고마울 일입니다.

옛날 그 시절이 그리운 이영재 어르신의 마지막 노랫말입니다. "자, 새로 새것 내지 말고 옛날 노인들 하시던 대로 우리 한번 잘해 봅시다~ 예~"

"에 에이리 달구~/에 에이리 달구~/세상천지 만물 중에/에 에이리 달구~/사람밖에 더 중허냐/에 에이리 달구~/이 세상에 나온 사람/에 에이리 달구~/뉘 덕으로 태어났나/에 에이리 달구~/석가여래 공덕으로/에 에이리 달구~/아버님전 뼈를 빌고/에 에이리 달구~/어머님전에 살을 빌고/에 에이리 달구~/칠성님전 명을 빈 후/에 에이리 달구~/열달 만에 생겨날 제/에 에이리 달구~."(〈상여소리〉 중 묘 다지는 소리)

산천초목에 불질러 놓고서
진주야 남강에 물질러 가는구나

이태수의 나무등짐 소리

"세월은 무자비한 불도저처럼 인간의 얼굴을 밟고 지나간다. 아무도 그 불도저의 궤도 자국을 피할 수는 없다. 늙음은 바람이 불거나 비가 오는 것과 같은 자연현상이지만, 그 자연현상은 사회적인 혐오와 공포의 대상이다. 노인은 배척받고 소외돼야 마땅한 혐오스러운 인종쯤으로 여겨지고 있다…" 디지털 문명 천지의 시대에도 여전히 연필로 꾹꾹 눌러가며 글을 쓴다는 김훈 선생. 아날로그적 삶의 기쁨을 추구한다는 당신은『밥벌이의 지겨움』이라는 책에서 '늙기는 힘든 사업'이라고 말하고 있습니다. 나이듦과 아날로그적 삶의 방식은 쌍둥이처럼 한 묶음으로 어울립니다.

"찬물도 위아래가 있다"느니 "어른 그림자는 밟지 않는다"느니 하는 옛 말은 아무래도 현실세계의 언중에겐 위력이 떨어지는 느낌입니다. 장유유서도 잘 쓰지 않는 말이 되었지요. 김훈 선생의 '늙음'에 대한 이야기를 좀더 들어봅니다. "장유유서는 본래 연장자가 다 해먹어야 한다는 질서는 아니었다. 장유유서가 타락한 조직원리로 고착된 질서가 연공서열일 것이고, 그 완강함은 한국 사회의 풍토병과도 같다. 그토록 무서운 연장자들이 좀더 나이를 먹어서 초로의 문턱을 넘어서면 삽시간에 이빨 빠진 호랑이처럼 무력해진다. 조직 내의 권력을 박탈당할 뿐 아니라 실낱 같은 권위마저 유지하기란 불가능하다. 늙음은 곧 추함과 무기력인 것이고, 그 노인이 한때 휘둘렀던 권력의 바탕은 대체 무엇이었던지 알 수가 없다…"

일찍 어른스러운 행동양식을 터득했던 선대先代에 비해, 현대 도시인들은 확실히 철이 늦게 드는 것 같습니다. 서른을 쉽게 넘기는 만혼晚婚의 일반화, 자립보다는 의존을 가르치는 핵가족 체제, 가장家長은 밖에서 일하고 가정 경제가 주부 중심으로 이루어지는 것도 그런 현상의 원인인 듯합니다. 대가족을 거느리고 세파를 헤쳐 갔던 아버지, 그런 엄부상嚴父像은 앞으로도 점차 찾기 어려워질 것 같습니다. 늙어가는 '아빠'들은 풍부한 경제력을 갖추지 못하는 한, 전통사회의 노인보다 대접받지 못할 것입니다.

그래도 아직 힘 있는 남편들을 만나보려면 농촌에 가봐야 합니다. 한 생애에 걸친, 고되고 순결한 노동을 바탕으로 쌓인 남성의 힘. 고난의 지도地圖, 혹은 궤적軌跡이 있습니다. 노루꼬리만큼 짧은 해가 순식간에 자취를 감추는 2008년 늦가을, 경남 의령군 봉수면 서암리에서 만난 이태수 씨1929~의 얼굴에도 그런 지도 혹은 궤적이 드리워져 있었습니다. "시골에서 한평생 늙기엔 아깝다" "재주꾼이다"는 느낌이 확 끼쳐올 만큼, 80년을 살아온 노인의 얼굴에는 서울 종묘공원이나 광주공원에서 무료하게 소일하는 노인들과는 다른, 어떤 열기 같은 것이 꿈틀거리고 있었습니다.

지금은 공동노동의 흔적조차 가뭇없이 사라진 마을. 그는 여기에서 당대를 주름잡은 상쇠이자 선소리꾼이었습니다. 당신의 탤런트를 발휘할 때를 기다렸다는 듯, 카메라를 만난 어르신은 풍물 치던 때의 신명이 출렁거리는 듯했습니다. "요즘은 뭐 일좀 하고 나면 쉬고 뭐 하루 세 번 뭐 한 시간 정도나 일하지만 옛날이야 한 시간도 담배 시간이 아니면 통 안 쉰다. 그러니까 옛날 사람들이 일에 골병이 많이 들어가지고 배도 많이 곯았고. 뭐든지 논

2. 4. 가족 잔치 할 때

매고 밭 매는 거 하면 딴사람은 아니어도 나는 한 번도 안 빠져. 이야기도 잘하고 노래 잘하고 신명이 있은께네." 당신의 자화자찬이 아닙니다. 이웃집 이정시 할머니의 증언이 더 생생합니다. "잘한다 아이가. 옛날 할배들이 몬 살아서 크게 몬 도와줘서 그렇지. 쪼매만 밀어줬으면 저런 사람은 여 시골서 살 사람이 아니라."

부모가 지원해줬다면 국악인의 길을 갔을 인물이라는 이야기지요. 아닌 게 아니라, 특유의 경북 사투리를 알아들으려고 귀를 쫑긋 세우는데 이 어른의 말씀 곳곳에 한량끼가 묻어납니다. "뭐 내가 나이 육십만 돼도 한창때라 뭘 하겠지만도. 인자는 뭐 산에 갈 일도 없고 아무것도 하도 못한께네. 노래 부를 일도 없고 인자 죽을 때 안됐나. 옛날에는 잘했다 하지만도 인자는 노래할 힘이 없지 뭐." 앞장서서 왕년 모습을 보이겠노라 지게를 지고 산속으로 들어가시며 하는 말씀입니다.

〈청춘가〉 가락인데 옛날 나무하러 가면서 부르던 노래. 노인이 산에서 나무하는 모습은 노래가 매개되면서 재연(再演)이 아니라 현실세계가 됩니다.

"산천 초목에 불질러 놓고서~/진주야 남강에 물질러 가는구나/가고야 싶은데~/야밤에 가고요/동네 술집에 가시거든~/대낮에 가시고요/가는 데 족족 정들여 놓고서~/이별이 잦아서 못 살리로다" "창밖에 국화를 심어/국화 밑에서 술 빚어놓고/술 빚어 국화꽃 피어/임 떠나시자 달이나 솟네/저 달이 낮인 줄 알면/저리야 밝기도 만무나 하리." 젊은날의 흥과 신명이 깃든 할아버지의 노래는 젊은 제작진들을 아슴아슴 옛 시절로 끌고갑니다.

일제의 식민지배가 공고하던 1929년 이 마을에서 태어났습니다. 타고난 시절이 워낙 배고프고 가난한 세상. 인생 일대의 고비는 22살에 터진 6·25전쟁 때였습니다. 살아올지 죽어올지 기약 없는 가운데 군대 징집명령을 받았는데, 그때가 막 결혼한 지 2개월째. 당시는 조혼(早婚)의 시대였기 때문에 결혼한 뒤에 입대한 경우가 흔했습니다. 부인 노외남 씨(1935~)의 증언이 실감났습니다. "남편이 군에 갔을 때 젤 욕보고 젤 괴로웠지예. (새댁이라 시집살림에 대해 아무것도 모르니) 도망이라도 가고 싶었어 도망이라도. 군대 간 지 2년 만에 휴가를 오고. 그때는 전투중이라서 편지도 몬해요. 면회도 안 갔고요. 군대에 7년을 있어도 면회도 한번 안 갔고요…" 해로(偕老)하는 부부에게 지난 날 이야기는 이제 담담하기만 합니다. "나는 뭐 그때 인자 죽을 각오하고 군대를 갔던 기고. 살아오면 (할머니랑 같이) 사는 기고. 안 오면 자기 짝 찾아서 자기 알아서 하는 기지 뭐. 와 기달리노 어쩔긴데. 살아서 돌아왔으니께네 같이 살았지."

흥과 신명에 가득찬 노인에게는 흘러간 옛이야기보다 한 가락이라도 더 솜씨 발휘하는 게 즐거움이었습니다. "여기도 생보리 (뒷소리:에화)/저기도 생보리 (에화)/대풍년 (에화)/좋구나 (에화)/이 보리 (에화)/ 우리야 (에화)/농부가 (에화)/아니면 (에화)/누가 (에화)/거둘까 (에화)/먼 데야 (에화)/사람은 (에화)/구경만 (에화)/하고요 (에화)/우리야 (에화)/농부는 (에화)/생보리 (에화)/거두자 (에화)/고꾸마리 (에화)/밑에도 (에화)/생보리 (에화)/꺼끄럽게 (에화)/끝에도 (에화)/생보리 (에화)/나는야 (에화)/나가기 (에화)/전에 (에화)/이 보리 (에화)/잡아서 (에화)/딜이야 (에화)/오는 (에화)/풍년을 (에화)/맞읍시다 (에화)…" 작대기를 들고 두드리며 보리를 타작했던 시절에 일꾼들이 주고받으며 불렀던 〈보리타작 소리〉입니다.

노인은 노래를 그치지 않고 싶어했습니다. 막걸리 한잔 받아놓고, 뒷소리 받아주기만 하면 한나절이고 온종일이고 계속할 밑천이 두둑하다고 했습니다. 〈치이야 칭칭나네〉를 혼자 춤추며 부르기도 했고, 재담소리도 혼자 흥얼거렸습니다. 생동감 넘치는 노인을 만난 지 하루 만에 정이 담뿍 스며듭니다. 자식들을 부양할 때는 죽어라 일했지만 지금은 소일거리 정도의 노동을 하며, 별다른 세속적 욕심없이 늙어가는 노인의 얼굴에는 평화로움이 가득 깃들어 있습니다.

천안 삼거리 흥~ 능수야 버들은 흥~

임영수의 충청도 잡가

　일본 혹은 일본인들을 어떻게 생각하시는지요? 사회 전 분야에서 우리보다 앞서가는 선진국 사람들로 보는 분들도 있을 것이고, 문화인류학자 루스 베네딕트가 『국화와 칼』에서 적시하고 있는 것처럼 국화를 사랑하면서도 칼을 숭상하는 이중성을 가진 사람들로 보는 분들도 있을 것이고, 이어령 선생의 『축소지향의 일본인』에 공감한 분들은 그들의 현미경적 안목과 창의력을 긍정할 것이며, 우리보다 키도 작고 체격도 왜소해 '쪽바리'라 부르며 무시해주고 싶은 분들도 있을 것입니다. 어떤 인식을 갖고 있든 간에 일본은 우리 민족과 떼레야 뗄 수 없는 관계에 있는 민족임은 주지의 사실입니다.

　백제를 통해 문명을 배워갔던 아우의 나라, 그러나 막부시대를 통일한 오다 노부나가, 도요토미 히데요시를 거치면서 대륙 정벌의 신작로 정도로 조선을 인식할 만큼 강성해진 나라, 서양 문물을 일찍 받아들여 한반도를 36년간 지배한 제국주의 나라, 원자폭탄을 두 군데나 맞으며 세계대전에서 참패하고서도 아시아에서 가장 빨리 선진국에 들어선 나라, 무시해 버리고 싶어도 무시할 수 없는 눈앞의 강국입니다.

과거의 눈으로 보면 그 어떤 보복으로도 분이 풀리지 않을 만큼 혹독한 고통을 가했던 그들. 나라 이름에 '사람'이나 '인'이라는 말보다는 '놈'이라고 불러야 직성이 풀리는 상대. 현실 세계에서 절대 패배하고 싶지 않은 투지를 불러일으키는 상대. 축구든 야구든 국제 스포츠 경기에서 만나면 꼭 이겨주고 싶은 상대. 그러나 막상 붙어보면 이겨내지 쉽지 않은 상대. 일본입니다. 일제 강점기를 몸으로 겪어낸 이들에게 일본은 위와 같이 이성적이거나 합리적인 시선을 무색하게 하는 대상입니다. 지금도 만날 수만 있다면 분풀이를 해주고 싶은 상대입니다. 그러나 까딱하면 교통사고를 일으킬 만큼 교통법규를 어긴 상대를 그 자리에서 만나면 혼내주고 싶다가도 다음 교차로에서 만나면 마음이 누그러지는 것처럼, 식민지 시대때 온갖 학대를 일삼던 제국주의자들의 얼굴은 '언제 우리가 당신들을 그렇게 고통스럽게 한 적이 있냐'는 듯 빙긋 웃는 얼굴로 바뀌어버린 세상입니다.

가을이면 속이 잘 여문 알밤이 우수수 쏟아지는 고장. 역사책에서나 고속도로 휴게소에서 스쳐가면서 보긴 했지만 백제의 고토[邑] 공주 속으로 들어가보긴 처음이었습니다. '공주밤'이라는 특산물로 이름이 높은 곳, 공주시 사곡면 월가리는 공주에서도 깊은 산중이었습니다. 수확을 앞둔 벼가 충실하게 익어가는 2008년 가을, 밤줏는 손길로 바쁜 임영수 씨[1928~]와 부인 윤채순씨[1929~]도 바로 '일본놈들'하면 이가 갈리는 분들입니다. 일제 강점기를 온몸으로 겪어낸 세대답게 노부부의 고생담은 기나길었습니다. 지금도 일본인들을 보면 귀싸대기를 후려치고 싶을 만치 고생스러운 시절을 살았다고 했습니다.

부인 윤채순 씨는 '일본놈들이 위안부로 끌어가려고 하니까 장인이 사위 선도 안보고' 16세에 시집을 왔고, 임영수 할아버지는 19세에 장가를 들었습니다. 급하게 치러낸 혼사. 선도 안보고 신부집에서 사주를 써갔습니

다. 미혼의 젊은 처녀라면 언제 일본군 위안부로 끌려갈지 모르는 공포감이 조선 반도를 휘감고 있던 시절. 신랑감이 어지간하기만 하면 짝을 맺어놔야 마음을 놓을 수 있는 형편이니, 딸자식 둔 부모가 애면글면했던 시절이었지요. 조선 반도를 공포와 불안으로 몰았던 이 모든 작태가 조선, 청나라, 러시아를 제압하고 세계 각국을 먹어보려고 아가리를 벌리고 나선 '일본놈들' 때문이었습니다. "치가 떨리고. 지난 가을에 내가 저기 전라도 순천에 딸네집 갔다오는데, 기차를 탔는데 이짝에 일본놈 둘이 타고 마누라하고 나는 이쪽에 둘이 앉았는데 가만히 앉아서 이야기 하는 것을 들어보니까 일본 말을 해. 둘이가 다 일본놈들이야. 저놈의 새끼들을 때려죽였으면 좋겠는데 법이 있으니까 어떻게 때려죽여? 그렇게 치가 떨려. 고생 많이 했어 일본놈들 때문에. 얘기도 못햐. 아 숟가락 몽댕이까지 싹 걷어가지고서는 산에 가

서 나무 비어다가 나무 숟가락 만들어서 밥먹었어. 식기 놋식기 같은 거 다 가져가고…"

19살에 장가를 들고 스무 살에 해방을 맞았습니다. 고향에서 해방을 맞은 게 아니라 함경도 해산에서 해방을 맞았습니다. "일본놈들한테 끌려서 모집 갔었지. 일본놈들이 강제로 끌고 갔지. 함경도로 백두산 철로, 백두산 나무 비어낼라고 철로 낼라고 그 역할을 했어. 그러니께 사월에 떠나가지구서 음력 칠월달에 나왔어. 내딴에는 가서 아주 죽을 뻔 굶고 살았어. 40일 동안 장질부사^{장티푸스} 그걸 앓았어. 배는 고프고 전염병은 돌아가지고 혼났어." 삶과 죽음이 지척지간이던 역사적 순간을 생생하게 겪어낸 노인의 말씀이 계속됩니다. "해방되고 함경도에서 경기도 동두천까지 걸어나왔어. 동두천 나오니까 거기서부터는 기차가 통행이 되더라고. 서울역에 오니께 딴나라야. 왜냐하면 이북은 해방된 이튿날부터 소련군이 오면서 일본놈들 무기를 싹 뺏어버렸거든. 무장해제 시키고 무기를 싹 뺏었는데 서울을 와보니께 일본놈들이 아직 총메고 말타고 다니더라고. 이북은 해방되고부터 일본놈들 앞에서 공무원 생활하던 사람은 다 쫓겨났는데. 그래서 그 사람들이 보따리 싸가지고 남한으로 넘어온 거지. 그래서 남쪽이 인구가 확 불은 거야."

당신이 본 분단의 모습까지 증언하셨습니다. 그렇게 분단의 장벽이 생겨나고, 고향으로 돌아온 할아버지는 다시 본업인 농민으로 돌아갔습니다. 평범한 집안의 평화는 오래 가지 못했습니다. 요즘이면 군 제대하고 복학생쯤 되었을 나이, 25세에 아버지가 작고하셨습니다. 요즘보다 10살 정도는 일찍 어른 노릇을 해야 했던 장남 임영수씨는 스물 다섯 나이에 아버지 노릇까지 해야 했습니다. 동생 5남매를 키우고, 학교 보내고, 결혼시키느라 쪼달렸습니다. 그것은 고생의 전반전이었습니다. 당신의 자식들 3형제를 키워 대처로 내보낸 인생의 후반전이 있었습니다. "고생 많이 했다"를 구체적으로 파헤쳐보면 구구절절합니다.

임할아버지의 탯자리인 공주 사곡면 월가리는 깊은 산골 마을이지만 두레와 풍물패가 왕성했던 농촌이었습니다. 1960년경에는 자연마을 두 개로 이루어져 풍물패가 두 군데나 있어서 서로 경쟁을 하기도 했답니다. 지금은 80가구 정도가 사는데 매년 음력 1월 14일이면 노신제를 지내는 전통이 유지되고 있습니다. 특산물로 밤이 많이 생산되는 걸 빼면 전형적인 논농사 마을. 일제 강점기를 거치고 나서 집으로 돌아온 뒤부터는 농사로 잔뼈가 굵었습니다. "순전 농사 했지 뭐. 농사일하고 식량 보리 양식 같은 거 떨어지면 나무 장사도 하고 숯장사도 하고. 여기서 읍까지가 삼십 리가 넘어. 나무를 새벽에 장작 같은 거 해서 짊어지고 가서 팔아가지고 식량 같은 거 조끔씩 팔아다가 먹고, 숯구워 가지고 숯도 갖다 팔아서 식량 사다 먹고 그렇게 살았지."

두레패가 있던 시절 마을에서 김매기를 하면 선소리를 나눠맡았던 소리꾼. 젊은 시절 총기가 좋아 축음기 소리를 두 번만 들으면 가사를 줄줄 외웠다는 노래쟁이. 임영수 할아버지의 기억력도 많이 쇠퇴한 모양입니다. "아니 아니 노지는 못하리라/내가 너를 때릴 적에 아프라고 때리었나/마음에 아프거든 과연일랑 서운히 마라/얼씨구 얼씨구 얼씨구 지화자자 좋을씨구/아니나 노지는 못하리라." 〈창부타령〉을 한절 부르고 쉬고, 또 한절 부르고 쉬기를 거듭합니다. "옛날에는 노래 좀 한단 소리 듣고 살았는데 살림이 쪼달려 먹고사느라 머리가 다 썩어버렸어." 할아버지의 답입니다.

막 기분이 달뜬 할아버지가 마을에서 두세 명 되었던 선소리꾼으로서 옛 기억을 떠올립니다. "호 호라 방아호~/이 방아가 뉘 방아냐/호 호라 방아호 ~/경신년 경신월 경신일에/호 호라 방아호~/강태공의 조작 방아요/호 호 라 방아호~/산으로 가면은 산신 방아/호 호라 방아호~/비산비야의 정미소 방아요/호 호라 방아호~/산골에 들면 물레방아/호 호라 방아호~/가가호호 家家戶戶에 열궁 방아/호 호라 방아호~/언제나 다 찧고 정든 님 만나나/호 호라 방아호~." 천상 농사꾼. 뿌린 대로 거두는 법칙을 평생 섬기고 살아왔습니다. 80 고개를 넘고도 농사짓기를 마다하지 않습니다. 그 모습이 대전에서 도회지 생활을 하다 이 마을로 들어온 이웃 박상의씨에게 인상적이었던 모양입니다. "제가 도시에서 살다 여기 들어와 사는데 이 양반이 농사짓지 않으니 무얼 먹고 사느냐 그러면서 쌀 15kg을 가져다 주셨어요. 아 이거 젊은 사람이 받아먹을 수 없다 했더니 한사코 주는 거여. 또 놀란 것은 이 양반이 직접 농사를 짓는 거여. 아주 지게질을 꽁꽁 하면서 그렇게. 저는 도시생활을 하면서 70살 이상만 되면 경로당이나 도시의 그늘 나무 밑에서 쉬는 것으로 소일하는 그런 노인들만 봤거든."

80 고개를 넘어서고는 단출한 노부부의 일상이 이어지고 있습니다. 벼농사 조금, 고추며 콩이며 심는 밭농사 조금, 그리고는 가을에 밤 줍고 농한기에는 놀면서 지냅니다. 막걸리 한 사발 들어갔더라면 뭐가 더 나올 텐데, 연신 맨 기분으로 하려니 데면데면해 하셨습니다. 그래도 충청도 한량다운 모습이 있었습니다.

"천안 삼거리 흥~/능수야 버들은 흥~/제 멋에 겨워서/축 늘어를 졌구나 흥~/에루화 데헤야 흥~/성화로구나 흥~/계변양류溪邊楊柳가 흥~/콱 무너졌으니 흥~."

할머니가 웃는 얼굴로 지켜보는 가운데, 할아버지는 손바닥 장단으로 무릎을 치며 노래를 계속 합니다. 왕년의 흥이 나올락말락하는데, 해는 저물고 다음 길을 재촉하는 우리의 마음이 바빠서 절정에까진 이르지 못했습니다. 그날밤 할아버지는 뒤늦게 솟아나는 옛 가락이 아쉬웠을 겁니다.

세월아 네월아 오고가지 마라
알뜰한 청춘이 늙어간다

임학수의 나무등짐 소리

"가장 결정을 잘하는 사람들은 자기들의 결정에 따르는 고통을 기꺼이 감수할 용의를 가진 사람들이다. 한 사람의 위대성의 척도는 고통을 감수하는 능력이라고 할 수 있다(M. 스캇 펙의 『아직도 가야 할 길』 중에서)." 매일 아침 이메일로 배달되는 '아침편지'의 한 구절을 읽다가 "옳거니!" 무릎을 치며 감탄한 적이 있었습니다. 어쩌면 그렇게 적확한 표현을 찾아낸 것일까, 통찰력 있는 안목에 감탄사가 절로 났습니다.

어디든 궂은일을 도맡아 하는 일꾼들이 있습니다. 주머니 속의 송곳은 숨기려 해도 드러날 수밖에 없는 것처럼, 어려운 일이 닥치면 꼭 있어야 할 그 사람을 찾게 마련이지요. 옛말에 "날고기 보고 침 안 뱉는 놈 없고 익은 고기 보고 침 안 삼키는 놈 없다"고 했습니다. 좋은 일에는 너나없이 사람들이 몰리지만 흉사凶事에는 썩 나서는 사람이 흔치 않다는 얘기지요.

마을에 초상이 났을 때 염습殮襲하는 일은 대표적인 궂은일 가운데 하나입니다. 요즘은 전문화된 장례식장이나 상조회사가 대행해 주지만, 전통시대에는 모든 걸 좁은 동네에서 자급자족 방식으로 해결해야 했습니다. 음식 준비하고, 손님 대접하고, 상여 운상하는 일이야 여러 사람이 힘을 모으면 어렵지 않은 일에 속합니다. 염殮하고, 묘자리 잡고, 상여소리 선소리 메기고 하는 일은 고도의 전문성을 요구하는 일이었습니다. 이런 일을 곧잘 하는 사람이 있었기에, 요즘처럼 영안실이나 장례식장이 없는 전통사회에도 상사喪事는 제대로 치러질 수 있었던 것이겠지요. 그러나 아쉽게도, 전통사회의 붕괴와 함께 그런 일꾼들이 한분 두분 돌아가시고 있습니다. 예법禮法에 정통하지 않고도 실용적으로 살 수 있는 세상이 되었기 때문이지만, 뭔가 허전한 느낌이 드는 것은 사실입니다.

충북 단양군 대강면 남조리. 광주에서 88고속도로를 타고 대구로 가서, 다시 강원도 방향으로 중앙고속도로를 타고 올라갔다, 충청북도 쪽으로 국도를 따라 구불구불한 길을 헤쳐가야 하는 오지入山입니다. '단양 팔경八景'으로 이름난 이곳은 충청북도에 속하지만 경상북도, 강원도를 맞대고 있는 경계 지역. 이 머나먼 산골짝 마을에서 나고 자란 임학수 씨1940~ 가 바로 그렇게 사라져가는 마을 일꾼 가운데 한 분입니다.

임학수 어르신은 지금도 나무 보일러를 때기 때문에 겨울에 나무를 하러 다닌다고 했습니다. 땔나무 베어오는 것이 겨울 농한기의 큰일이었던 시절, 30~40명이 떼를 이루어 나무하던 행렬을 장관으로 기억하는 사람. 그의 입에서 흥얼거려지는 노래는 〈어랑타령〉도 있고 〈청춘가〉도 있습니다. 한마디로 종합민요 세트였습니다. "세월아 네월아 오고 가지 마라/알뜰한 청춘이 늙어간다/삼수갑산三水甲山 머루 다래는 얼크러절크러 졌는데/나는 언제 임을 만나 얼크러절크러 지드나/어랑어랑 어허야 어야 더야/모두다 내 사랑이로다."〈어랑타령〉 "에헤에 팔공산 달이나 밝아/달성공원에 두견새 울어/낙동강에 임을야 싣고 활다리 올라서니/동화사 새벽 종소리 임도나 가시자 날이 새네."〈청춘가〉

산속을 오가며 불렀던 그의 생활노래들은 이제 다큐멘터리의 소재가 될 만큼 희귀해졌습니다. 별 것 없는 농사로 자식들 가르쳤고, 나무등짐 해서 나르며 겨울을 보냈으며, 농사철에는 마을 상쇠로, 마을에 대소사가 생기면 궂은일을 도맡았습니다. "(옛날) 그 전에는 겨울에 계속 나무해 나르느라 놀도 못했어. 여기 나무꾼이 한 30명 되니까 산에 다니면 쫙 펼쳐진 지게가 한 30개가 돼. 전부 싸리 낭구山木야 싸리 낭구. 재밌죠 뭐. 술 한잔 먹으면 니 한마디 하고 내 한마디 하고… 재밌었어. 그런데 이제는 뭐 그런 사람도 없어. 다 떠나버리고…" 함께 일하고 놀던 동년배들이 하나둘 저세상으로 사라진 현실을 탄식하는 말입니다.

1940년생이니 만나 뵌 어르신들 가운데 고령자 축에 들지 않는데, 어르신은 '고통을 감수하는 능력'에 대해 여러 번 말씀하셨습니다. "그땐 의식주 때문에 제일 고통스러웠지. 다른 건 뭐… 젊은 양반들은 몰라 그렇죠. 내가 남의 집 가서 쌀 한말이라도 구하러 갔을 때가 제일 서러울 때야. 쌀을 조금이라도 주면 괜찮은데. (꾸러 간 그 집에서) 없네 그려. 그보다 더 눈물 날 일이 없어. 어머니 아버지 돌아가셔도 그렇게 눈물 안나요. 배고픈 시절에 그게 제일 눈물났어. 고통스러울 때가 그 때야…"

그 시절에 몸서리치게 가난을 겪은 분들은 요즘 세상에는 가난이 없다고 생각하십니다. 온종일 땅에 묻혀 살아도 근로소득이 척박하기만 했던 때, 생산력이라는 게 일천하기만 했던 때, 자본이 자본을 뺑튀기하면서 부를 축적할 수 있는 요즘 세상과 비교 자체가 성립하지 않겠지요. 아무리 저소득층이라고 할지라도 먹을 것이 없어서 식량을 꿔야 할 지경의 가난은 없다는 것이지요.

온몸의 노동을 바치며 살았던 일꾼, 어떠한 고통이라도 기꺼이 감수할 자세가 되어 있는 분의 말씀은 묵직했습니다. "나는 부지런하게 사는 사람이야. 자랑하는 게 아니라 내가 사는 대로 부지런하게 움직이는 사람이야. 밥 먹고 그 자리에 안 앉아있어. 벌떡 일어서 가지고 한번 나갔다 오든지 이렇게 해야 되지. 요즘 마흔 살짜리들이 옛날 스무 살만 못해…" 마지막 한 마디가 강하게 꽂힙니다. 명색 40살이면 불혹의 나이, 그런데도 옛날 20살만 못해 보인다는 말씀. 옛적 스무 살이면 이미 장가들어 가족 부양을 시작할 나이지만 요즘 40살짜리들은 총각도 쎘고, 그만큼 물색도 없고 중정머리도 없어 보인다는 얘깁니다.

내공 없는 사람을 일컬어 '양파'라고들 부릅니다. 까보고 까봐도 별 볼일 없다는 표현이지요. 마을 분들을 만나 이야기를 듣고 보니, 이분은 까면

깔수록 속으로 단단한 양파입니다. "옛날부터 궂은일 마다 않고 솔선수범하시고. 그런 일장례을 굉장히 잘 아시고. 옛날부터 내려온 그게 누구나 꺼림칙하잖아요. 시체 만지면요. 그런데 그런 것 서슴지 않고 염이고 뭐고 다 하신 분입니다."(박익래, 마을 이웃) "유일하게 지역 사회에 이런 분이 계시니까 옛날 것을 찾는 게 보기 좋고. 그런데 그 맥을 이을 사람이 이제 없어요." (김길섭, 마을 이웃)

땔나무꾼의 심심풀이로 부르던 노래가 다인 줄 알았더니, 그게 아니었습니다. 마을에 초상나면 기꺼이 궂은일 다했던 솜씨로 〈상여소리〉를 기가 막히게 잘 메깁니다. 뒷소리 받아줄 사람이 없어 입을 열지 않았을 뿐이었던 겁니다. "(앞소리: 임학수) 어제 아래 성튼 몸이/(뒷소리:마을 주민들)어허이 어호 어허어화 어허이 어호/저녁 나절 병이 들어/어허이 어호 어허어화 어허이 어호/이 길이야 뭔 길인가/어허이 어호 어허어화 어허이 어호/인삼 녹용에 약을 쓴들/어허이 어호 어허어화 어허이 어호/약효인들 있을손가/어허이 어호 어허어화 어허이 어호…."

〈상여소리〉에 대한 자부심을 물었습니다. "자랑스럽다기보다 딴 사람 못하는 것 해주는 것도 좋은 일이고, 또 인제 초상났는데 앞에 선소리가 없으면 받는 재미가 없어 안 돼. 돌아가신 뒤에도, 같이 일하면서 살았는데 잘 보내줘야 되거든. 상주가 흥이 나도록 해줘야 된단 말이야." 해가 서산으로 저물어가는 겨울 논둑에서, 임학수 어르신의 〈상여소리〉가 발동걸린 경운기처럼 힘이 고조됩니다. 뒷소리꾼들도 더불어 힘을 냅니다.

"에헤 달구/여보시오 군정님네/에헤 달구/한둘이 하더라도/에헤 달구/열십 무리 하는 듯이/에헤 달구/우렁울컥 다져주오/에헤 달구/상제님이 있거들랑/에헤 달구/군정님의 힘을 도와/에헤 달구/인정 한번 쓰고 가라/에헤 달구/상제가 아니 오면/에헤 달구/이것으로 그만둔다/에헤 달구…."

2. 결혼식 4. 5. 마을에서 놀 때

영감 땡감 죽지를 마소~
할멈 사랑에 빠져 좋네~

최재복의 김매기소리

서재 한 귀퉁이에서 잠자고 있던 속담집을 집어들었습니다. 나이듦에 대해, 어른들의 세계를 탐구하는 데 무척 유용한 참고서가 됩니다. 똑같은 상황이나 상태, 인물을 표현하더라도 무릎을 탁 칠 만큼 절묘한 표현들이 수두룩합니다. 속담이야말로 우리 선조들이 응축해낸 비유, 재담의 압축본 같다는 생각이 듭니다. 속담을 들여다보면서 요즘에 새로이 생겨난 물품이나 풍습을 반영하지 못한다는 아쉬움이 있지만, 가난했던 옛날이나 물질적으로 풍족한 요즘에나 사람 사는 모습들은 왜 그렇게 비슷비슷한지 놀라곤 합니다.

속담에 많이 나오는 것을 보면 옛날 사람들의 생활사도 얼핏 짐작됩니다. 소 돼지 닭 고양이처럼 집에서 키우던 동물이 많이 나오고, 살쾡이 호랑이 여우처럼 사람에게 해를 끼친 산짐승들과 결부된 내용도 여러 가지입니다. 가난, 시집살이, 머슴, 무당, 굿, 떡 같은 소재도 무척 많습니다. 요즘 세상에는 이미 체로 걸러져 사라져버린 것들이 이렇게 많았던가 싶기도 하고,

또 요즘 세상에는 지천으로 흔해 빠진 것들이 전통사회에서는 얼마나 얻기 어렵고 희귀한 것들이었는지. 새삼스레 좋은 세상 살고 있구나, 생각이 들기도 합니다.

"앓던 무당 굿 벌어진다는 소리에 벌떡 일어난다"는 말이 있습니다. 누구에게나 자신의 기량을 발휘할 공간이 생기거나 자신의 직업적 '판'이 생겨나면 없던 활력이 생겨난다는 말입니다. 국회의원에게는 지역구 유권자들 앞에서 의정보고 할 마당이 벌어진다면, 겨우내 전지훈련을 통해 몸을 만든 프로야구 선수들에게는 정규시즌이 개막한다면, 오랜 숙련을 거친 문학청년에게는 신춘문예 공고가 난다면, 모두 그렇게 팔을 걷어부칠 의욕이 생겨날 것이겠지요.

겨우내 나른한 농한기를 보내는 시골 촌로들에게도 그런가 봅니다. 족히 한나절을 불러낼 수 있을 만큼 풍부한 〈들노래〉 가사를 갖고 있는 선소리꾼이라면, 몇날 언제쯤 찾아가겠다는 방송사의 연락에 마음이 들뜨시는 모양입니다. 굿날 잡아진 '앓던 무당'처럼 말입니다. 별 재밋거리 없이 무료한 일상에 둘러싸인 탓이기도 할 것이고, 세상이 알아주는 재주가 있다는 '자기 중요감'을 확인한 탓이기도 할 것입니다. 전북 순창군 유등면 건곡리 학촌마을. 누대로 이어온 최씨 집성촌으로, 40여 가구가 오순도순 지붕을 맞대고 살고 있는 마을입니다. 여느 농촌처럼 전통사회가 해체되면서 이 마을에서도 조상 대대로 이어온 들노래를 잊고 살았더랬습니다.

지금의 선소리꾼 최재복 씨1936~ 가 마을 이장을 하던 1978년, 한 지역방송사에서 찾아온 것을 계기로 잊고 살던 학촌마을 들노래가 되살아났습니다. 마을 사랑방에 있던 노인들에게 묻고 되묻고 하여 가사를 채록하고 기억을 더듬어 상당 부분 원형을 찾아낸 것입니다. 그걸 계기로 전라북도의 민속경연에도 나가고, 재연 행사도 하면서 들노래는 마을의 자산이 되었습니다. 한때는 마을마다 있던 것이었지만 이제는 희귀해진 마을문화의 하나

1, 3, 4. 들노래 공연 모습

가 바로 〈들노래〉입니다.

　대개 〈들노래〉라고 하면 모찌는 소리, 모심는 소리, 초벌매는 소리, 두벌매는 소리, 세벌매는 소리, 풍장굿 등으로 이루어집니다. 그런데, 이 마을의 들노래는 〈김매기소리〉로만 이루어져 있다는 점이 이색적이었습니다. 아마 모찌는 소리와 모심는 소리는 전승 과정에서 누락된 것 같습니다. 대신 〈김매기소리〉가 세분화되어 있어, 아침에 시작할 때 부르는 게 있고 오전 새참먹고 나서 부르는 게 달리 있고, 오후에 부르는 게 또 달랐습니다. 최재복 어르신은 우리가 찾아가겠다는 연락을 받고 며칠 동안 마음이 설렜다는 애기를 몇 번 하십니다. 젊어서는 그렇게도 명료하던 가사들이 세월의

한반도의 소리를 담다

뒤안길로 속절없이 밀려나앉은 것이 아쉬울 뿐입니다. 한 토막씩 한 토막씩 가사가 끊기곤 합니다. 콤바인 트랙터 이앙기도 없던 시절, 사람 몸뚱어리가 노동력이었던 시절에 대해 모르는 사람이 들으면 도대체 무슨 엿가락 늘어지는 소리인지 모를 노랫말입니다.

"꽃 끊어/어허이~ 어허이~ 에헤라 꽂고/산에 올라서 산에 올라서/어허이~ 어허이~/얼른 가자/어리씨구나 야야 저리씨구나 야야/어리나 좋은가 좋네 하하/영여리사 저리씨고⋯." (오전에 김맬 때 부르던 〈꽃방아타령〉)

"(앞소리) 성개 성개 말을 타고 성개 어히~ 고개로 넘어간다/ (뒷소리) **허야 허어이 어허 얼싸 방개 헬레라**/인절미 콩떡 꿀 발라놓고 영감 어히~ 오기만 기다린다/**허야 허어이 어허 얼싸 방개 헬레라**/영감 땡감 죽지를 마소 요내 영감님 사랑 좋네~/**허야 허어이 어허 얼싸 방개 헬레라**/좀도나 좋네 좀도나 좋네~ 할멈 사랑 사랑에 빠져 좋네~/**허야 허어이 어허 얼싸 방개 헬레라**…" (오후에 김맬 때 논에서 모를 바로 세우면서 부르던 노래)

이 노래들은 한여름 내내 쏟아지는 볕을 이기고 널따란 논을 헤집고 다니려면 이렇게 노래를 불러야 했던 시대의 유산입니다.

이 마을에는 〈들노래〉말고 해마다 음력 섣달 그믐날이면 마을 사람들이 모여 큰새끼를 꽈서 당산나무 앞에까지 지고 가면서 부르던 노래도 있습니다. 〈그네 줄 들이는 소리〉인데요, 한해의 풍년 농사와 마을 공동체의 안녕을 빌던 오랜 풍습입니다. 물론 선두에 서서 메기는 사람은 최재복 어르신입니다.

"(앞소리) 삼월 삼짇날 연자제비는 날아들고/(뒷소리)**우야야 허~하 헐~로**/가지가지 꽃피고 춘방은 털털/**우야야 허~하 헐~로**/간짓대 끄터리 제비똥 깔렸네/**우야야 허~하 헐~로**/부자 빌세 부자 빌세/**우야야 허~하 헐~로**/우리 고을에 부자 되세/**우야야 허~하 헐~로**/풍년을 빌세 풍년을 빌세/**우야야 허~하 헐~로**/올해에도 풍년이고 내년에도 풍년일세/**우야야 허~하 헐~로**…"

풍년 흉년 가리는 것조차 무의미해진 이 폐농업의 시대에 이런 노래 따위가 무슨 소용이란 말인가, 무력감이 드는 것을 어찌지 못합니다. 끊길 듯 끊길 듯 이어온 유산을 간당간당 갖고 사는 어르신의 끝말도 같습니다. "우리 죽어불면은 잊어져 불잖아요. 누가 받을라고도 안하고. 넘길 데도 없고. 좀 아쉽더라구요…"

05
연해주

최료바와 김하령은 양년이로다

강리자의 창가(唱歌)

즐겨 부르는 노래만큼 당세대(當世代)의 정서를 적확하게 반영하는 것이 있을까 싶습니다. 10대~20대가 주도권을 갖고 있는 대중음반 시장 밖에서는 작아진 파이를 두고 30대 이상의 세대들이 자기들의 애창곡을 즐깁니다. 〈7080 콘서트〉에서는 왕년의 스타들이 부지런히 존재감을 알리고, 〈전국 노래자랑〉에서는 보다 다양한 세대별 애창곡이 드러나지요. 대학세대 7080을 넘어 연령이 70~80대인 장년층의 애창곡 가운데 한 분야가 '타령(打令)' 입니다. 더러 당대의 트로트나 유행가요가 섞여있기도 하지만 그네들이 함께 춤추며 놀기에 적합한 것은 북장구 꽹과리가 한데 어우러져 놀았던 판, 거기서 불리던 타령입니다. 한반도의 남쪽, 농본(農本) 사회 한국에서는 그랬습니다.

조국을 떠나 러시아 연해주에 정착했던 사람들의 애창곡은 달랐을 것입니다. 함경도에서 넘어간 사람들이라면 〈어랑타령〉류였을 것이고, 평안도에서 올라간 사람들은 〈수심가〉류의 서도소리를 할 줄 알았을 것입니다. 아마 1900년대를 전후해 살았던 사람들은 그랬을 것입니다. 그들은 모두 세상을 떠났고, 여기서 이야기할 사람들은 그들의 자식, 혹은 손주들입니다.

1930년대에 태어나 '강제이주'를 겪었던 사람들이거나, 그 후세대 사람들입니다. 모국어로 된 노래를 잃어버린 게 당연한 세대들의 이야기입니다.

큰 기대를 갖고 러시아땅 연해주에 닿았지만 "이 노래가 아닌데…"하는 생각이 들었습니다. '고려'에서 온 동포를 맞이하는 마음은 따뜻하다 못해 뜨거웠지만, 한복 차려입은 합창단이 부르는 노래는 확 이질감이 끼쳐왔습니다. 장구도 없었고, 장단은 아코디언으로, 창법은 북한의 냄새가 났습니다. 코디네이터를 보챘습니다. 어디 더 나이 드신 할아버지 할머니 안 계신지 더 찾아보자고. 한 살이라도 더 잡수신 분을 찾으면 뭔가 나올지도 모른다는 막연한 기대감, 모래밭에서 보석을 찾아보겠다는 심정이었습니다. 마음이 급해졌습니다. 언제든 쉽게 다시 올 수 있는 길이 아니었습니다.

코디네이터가 애면글면 발싸심한 보람이었던지, 아는 분의 소개로 70대

중반의 할머니댁을 가보게 됐습니다. 우수리스크에서 한 시간 남짓, 렌트카는 급한 마음을 싣고 허허벌판을 달리는데 길은 왜 그리 갑갑한 1차선인지. 달리고 달려서 닿은 곳은 프롤레타리아스크 강리자 씨[1932~] 댁. 할머니 부부는 버선발로 '고려' 촬영팀을 맞았습니다. 현장 박치기, 공개 오디션이 시작됐습니다. 우리는 '소리 자원'을 탐색하느라 초침이 아까운데, 할머니는 정성스럽게 고국 손님을 대접하려고 마음을 쓰셨습니다. 밥때 됐다고 이 음식 저 음식을 만들어댑니다. 밥먹는 게 중요한 게 아니라 여기서 허탕을 치면 눈앞이 캄캄해지는지라 어떻게든 할머니의 노래를 끌텅까지 퍼올려야 하는 마음으로 애가 탔습니다.

이 할머니 역시 1937년 고려인 강제이주와 떼레야 뗄 수 없는 인연을 가지고 있었습니다. 당시 세상 물정이라고는 깜깜한 다섯 살의 꼬맹이였습니다.

1, 2. 1937년 고려인 강제이주 모습

"고려사람 싹 씻겨나가게 했어. 우즈베키스탄 카자흐스탄. 그때 사람들 다 이동해갔지. 그때 다섯 살인데 뭐가 뭔지 모르지. 어머이 파파^{아버지} 있어서 그렇게 살았지. 그 다음에 42년도에 전쟁 났어. 전쟁 피해 댕기면서 학교가 없었어. 글을 못 읽었어." 아버지는 어려서 한반도 땅에서 연해주로 이주해간 분이었습니다. 아마 북한 땅에서 이주한 모양입니다. 강제이주와 함께 할머니의 부모님은 영영 연해주로 돌아오지 못한 채 타국에서 생을 마쳤습니다. "어떻게 돌아와? 이렇게 못살게 해서 막 씻겨보냈는데 어떻게 나오? 못 나오지. 언제 돌아가고 싶다는 말을 할 새가 있소? 고생스러운디. 보리죽도 없어서 못 먹는 때인데 무슨 좋은 말 할 새가 있소? 그저 고생스럽게 살았지. 우리 파파^{아버지}는 72년도에 상사^{喪事：죽음} 났어. 어머니는 81년도에 상사나고…"

중앙아시아로 강제이주된 연해주 고려인들은 살아남기 위해 매일 중노동을 해야만 했습니다. 오막살이집을 짓고, 황무지를 개간해 옥토^{沃土}를 만들어 나갔습니다. 고향에서 하던 노동과 다르지 않은 것이었지만, 남의 나라에서 새로 터전을 마련한다는 것은 쉽지 않았습니다. 맨주먹으로 제2의 조국을 건설해야 했던 운명. "열한 살 열두 살 그때 파파 같이 일해. 지심 매고 그랬지. 고생 무지 했어. 말할 수 없이 고생했지. 나중에 파파는 콜호즈라는 집단농장에서 관리하는 일도 하고…" 남편 주 알리엑 알렉산드로비치 씨의 말입니다. "조선사람들 나가서 땅 파고 집짓고서 땅굴이라고 안 있어? 땅굴에 사람들 많이 살았다 말이오. 그런데도 나 죽지 않고 다 살아났다 말이오…"

노래부를 새 없었다고 하지만 할머니의 기억 속에 드문드문 남아 있는 노래는 그즈음에 들은 것입니다. 열 살 남짓한 연배에 친구들끼리 배웠던 노래. 창가^{唱歌}라고 했습니다. 창가는 갑오경장 이후에 발생한 것으로, 서양 악곡 형식을 빌려 지은 근대음악입니다. 가사도 창법^{唱法}도 서구적이지요. 막 만났을 때 제법 이어지던 할머니의 노래는 막상 카메라가 돌아가자 이어졌다 끊어졌다를 거듭했습니다. 러시아어와 한국어를 혼용하는 것처럼, 할머니의 머릿속에 박혀 있는 한민족의 소리는 확 터지지 않아 우리의 안타까움을 자아냈습니다.

"해는 저물어 서산을 넘고요/나의 갈 길은 그 어디에 있는가요/나의 부모는 나를 버리고/고독한 산속에 주리고 있도다….".

최료바와 김하령의 애틋한 러브스토리가 서사적으로 펼쳐진 창가는 그 시절의 풍속화 같습니다. 신식 외래문화가 접어들던 시대의 흔적입니다.

"맑고 푸른 천단 공원 산보하는/최료바와 김하령은 양년^{좋은 시절}이로다/료바와 하령이는 꽃밭 속에서/꽃과 같이 춤을 추며 희롱할 적에/나의 사랑 료바야 내 말 들어라/이 세상에 아는 것이 좋지 않으냐/그러므로 나의 사랑 여기다 두고/오래 못볼 외국으로 유학 가겠다/여보 사랑 하령 씨요 무슨 말인가/외로운 이 내 몸을 여기다 두고/간다 하면 그 어데로 가시렵니까/눈물 짓고 돌아서니 한숨뿐이라/하령이는 정신없이 떠나간 후에/료바는 자기 집에 돌아와보니/쓸쓸한 빈방 안에 자취도 없이/책상 위에 놓인 사진 하령이 사진/하령이는 정신없이 떠나가보니/간 곳마다 설움이며 한숨뿐이라/보고 싶은 료바도 보지 못하고/나나니 생각은 료바의 생각/8년 동안 외국에서 유학하다가/아름다운 료바를 찾아와보니/료바는 어느덧 아들딸 낳고/하령이를 잊은 지도 수삼 년이라….".

강제이주가 없었다면 어땠을까. 낯선 땅 중앙아시아로 옮겨가고 거기서 먹고사느라 '문화'나 '노래'를 누릴 시간이 없었다는 강리자 할머니의 말을 듣고 보니 "아무거라도 할 줄 아는 것이 있다면 다행"이라는 생각이 들었습니다. 하다가 막히고, 하다가 막히고 하기를 거듭합니다. 오히려 뒤늦게 남한이나 북한에서 수입해 익힌 노래들이 귀에 익습니다.

　"동해나 울산은 잣나무 그늘/경개도 좋지만 인심도 좋구요/큰애기 마음은 열두 폭 치마/철백자 얹어서 전복쌈일세/에헤에에 얼싸나 좋기도 하지요/울산의 큰아기 거동 좀 보소/삽살개 재워놓고 문밖에 나가서/임 오실 문전에 쌍초롱 달고요/이제나 저제나 기다린다네/에헤헤에 얼싸나 좋기도 하지요"〈울산 아가씨〉 "도라지 도라지 도라지/강원도 금강산에 백도라지/한두 뿌리만 캐어도 십년 폐병이 다 쓰러졌네/에헤요 에헤요 에에요/에~이야 어여라난다 지화자 좋다/니가 내 간장 스리슬슬 다 녹인다."〈도라지타령〉

　그것이 처녀적에 주워들은 것이든, 할머니가 되어서 고국에서 온 것을 익힌 것이든, 그것이 중요하겠습니까. 온 생애가 생존을 위한 몸부림이었을 당신의 인생에서 한민족의 체취를 찾아보고 싶었던 것, 그 흔적이 있음을 확인한 것, 그것이 값진 것이지요. 한국어와 러시아어가 뒤섞여 나오면서도 '고려인'을 반기고 '고려 음식'을 먹는 할머니의 순탄치 않았을 과거사가 담담히 흘러가는 강물처럼 풀려나갑니다. 할머니의 노래도 당대의 배경화인 양 조용조용 흘러나옵니다. 웃음보다는 울음 덩어리가 훨씬 더 많았을 것 같은 그 역사와 이야기….

이국의 들가에 피어난 꽃도
내 나라 꽃보다 곱지 못했소

리따지안나의 고향 그리는 노래

중국에서 '조선족'이라 불리는 한민족의 러시아 이름은 '카레이스키'고 려인입니다. 러시아에서 카레이스키가 정착하기 시작한 것은 1864년 연해주에 한민족 13가구가 이주하면서 시작됐다고 합니다. 연해주는 블라디보스톡을 중심으로 한 시베리아 동해안 지역으로 러시아에서도 극동지역입니다. 1869년 한반도 북부의 대기근으로 연해주 이주민이 급격히 증가했고, 1905년 을사늑약 이후에는 한인 의병들의 기지로 변합니다. 1914년에는 블라디보스톡에 고려인 집단 거주지인 신한촌新韓村이 건설되기에 이릅니다.

조국의 독립을 꿈꾸며 제2의 생활터전을 이루던 연해주 한인촌이 쑥대밭이 된 것은 1937년이었습니다. 당시 소련의 통치자 스탈린이 지시한 이른바 '강제이주' 정책 때문이었습니다. 강제이주란 1937년 8월 스탈린이 '고려인들이 일제에 협력하는 것을 막는다'는 명분으로 연해주에 정착해 살고 있던 고려인 17만 5천여 명을 중앙아시아로 강제로 이주시킨 정책을 말합니다.

강제이주는 구소련 체제와 스탈린의 폭력성을 분명하게 보여줬습니다. 1930년경 연해주에 몰려든 한민족의 수가 급증하자 이들을 활용해 연해주

2. 중앙아시아에서 일하던 고려인 이주자들   6. 7. 남편 생존시 우즈베키스탄에서

일대의 미개간 땅을 개척한 다음 이 개간지에 러시아인들을 이주시키고, 그런 다음 고려인들을 다시 오지로 추방한 것입니다. 조국 한반도가 인접한 이 지대가 한민족의 자치구로 변할 것에 대한 우려를 그렇게 악랄한 방법으로 탄압한 것입니다.

리따지안나 씨_{1934~} 도 바로 그 역사의 주인공입니다. 1937년 강제이주 당시 4살, 부모의 손에 끌려 러시아 연해주를 떠나 우즈베키스탄 타슈겐트에서 자라난 고려인 1.5세대입니다. 꼬맹이 때부터 아홉 식구가 황무지를 일구며 살아야 했습니다. 그야말로 적수공권赤手空拳이었습니다. 억척스러운 노동으로 운명을 개척해야 했습니다. "우즈베키스탄 도착해서 늘 바쁘게 살았습니다. 거기 사람들 다 전장戰場 시기 오죽 고생하며 살았단 말여. 돈이란 게 없지 먹을 게 없지. 우리 식구 아홉이 됐지 아홉이. 그러다 보니 고생했지. 거기 가서 서이세명 잃어버렸단 말여. 내 허이들언니들이 서이 상사喪事났다죽었다 말이요. 시집도 못가고. 싹 배껴서환경이 바뀌어서 그때 사람들이 많이 죽었어…."

죽어라고 일했습니다. 날씨 좋고 따뜻한 중앙아시아는 곡식도 잘되고 차츰 살 만한 곳이 되어갔습니다. 그러나 한 생애를 관통했던 운명의 장난은 그것으로 끝이 아니었습니다. 이질적인 민족들이지만 사회주의 체제라는 한 묶음으로 지탱했던 구소련의 붕괴, 이는 한민족韓民族의 후예들에게 새로운 선택을 강요했습니다. 소비에트 연방이라는 사회주의 일국一國이었을 때는 드러나지 않던 각 민족들의 자주성이 구소련으로부터 분리독립되면서 훨씬 강화됐습니다. 구소련으로부터 독립한 중앙아시아 국가들이 자민족 우대정책을 펴면서 고려인들에게 배타적인 태도를 취한 것입니다. 구소련 시절에는 같은 소련인이었던 고려인들은 우즈베키스탄이나 카자흐스탄 민족이 되거나 다른 거주지를 찾아야 했습니다.

아들 김빅토르 씨_{1948~} 가 우즈베키스탄에서 의사를 하면서 비교적 안정적인 생활을 했지만 우즈베키스탄은 고려인 리따지안나 씨 가족을 원하지 않았습니다. 언어의 제약, 제도의 제약은 새로운 이주지를 향하게 만들었던 것입니다. 리따지안나 할머니와 가족들은 2001년 정든 땅 우즈베키스탄을 떠나 다시 어버이의 고향 연해주로 발길을 돌렸습니다. 강제로 떠나야 했던 연해주는 기회의 땅이었습니다. 자식들에게 교육의 기회가 열려 있었고, 한국과 가까웠습니다. 우즈베키스탄에 정착한 부모님들은 연해주로 돌아가고 싶어도 다시 돌아가지 못한 채 이국땅에서 생을 마감했지만, 역설적이게도 자식들이 돌아가니 새로운 환경이 펼쳐져 있었던 것입니다.

친정어머니에게 좋은 목을 받은 리따지안나 씨는 노래부르고 춤추는 재미가 인생 말년의 큰 낙이었습니다. 리씨는 얼마전 동년배 할머니 할아버지들과 가무단을 만들었습니다. 다시 찾아온 어버이의 고향이었지만 아는 이 없이 외로워서였습니다. "2001년도에 (연해주로 되돌아) 와서 친구도 하나도 없지, 나갈 데도 없지, 아 어떻게 섭섭한고. 기 딱차지. 맨 일만 하고 맨 잠만 자면 재미없지. 노래도 부르고 춤도 추고. 놀 적엔 놀고 일할 땐 일하고 그래야 되지 사람이 사는 게…." 강제이주 이전 카레이스키의 노래는 잊혀졌지만, 지금 고려인들이 부르는 노래는 여러 요소의 혼합색입니다. 한반도 남쪽에서 불리는 통속민요, 한반도 북쪽에서 들어온 가요가 뒤섞여 있습니다.

"한허리 굽이돌아 흘러가는 강 애수야/하늘을 막고 산을 거니 천지벽 여기로다/한강 물이 마르던 땅 황금나라 물결치니/가을마다 풍년가니 궁메칭칭 경사로다" "아리아리 스리스리 아라리요/아리랑 고개를 넘어간다/열라는 콩팥은 왜 아니 열고 아주까리 동백은 왜 여는가/아리아리 스리스리 아라리요/아리랑 고개를 넘어간다/아리랑 고개에다 주막집을 짓고 정든 임 오기만 기다린다/아리아리 스리스리 아라리요/아리랑 고개를 넘어간다…." 〈강원도 아리랑〉도 〈노들강변〉, 〈밀양아리랑〉도 모두 여기서 다시 익힌 것입니다. 서툰 한국어로 부르는 노래지만 그것이 고려인의 정체성을 지켜주는 것임을 잘 알고 있습니다.

집에서 해먹는 음식도 구소련것은 일체 없고 된장, 마늘, 국수, 떡 등 한국식을 고집하는 것과 같은 맥락입니다. "우리는 환갑이고 잔치고 아이들 생진^{생일}이고 다 고려 음식을 갖춰서 고려 음식 찰떡 증편 등등 싹 고려 음식을 갖춰서 장만합니다. 그렇게 국수도 하고. 김치나 된장이나 뭐 다른 고려 음식. 여러 가지 음식 뭐 콩나물이나 그런 거는 다 우리 어렸을 때부터 잘 먹었습니다." 음식도 그렇고, 노래도 그렇고 한국식은 한국식입니다.

한국에서 역수입^{逆輸入}된 것이든, 구소련땅 중앙아시아에서 수십 년을 헤쳐온 것이든, 지금 나이든 연해주 고려인들에겐 아직도 한국인의 피가 흐르고 있습니다. 원형질^{原形質}의 맛은 없어도, 그것을 '뿌리찾기'라 불러도 틀리진 않을 것 같습니다. 한국에서도 이제 '단일민족'이라는 말보다 '다문화'라는 말이 점점 익숙해지고 있습니다. 우리가 이주 노동자들을 다문화로 수용하듯이, 광활한 러시아 극동지역에 사는 카레이스키들도 러시아 속에서 다문화로 인정받고 살아야 합니다. 그것이 공정이고 정의라는 생각이 들었습니다. 러시아 속의 다문화, 리따지안나 할머니가 속한 가무단^{歌舞團}이 하늘색 한복 곱게 차려입고 부르는 노래가 스멀스멀 가슴에 스며왔습니다. "이국의 들가에 피어난 꽃도/내 나라 꽃보다 곱지 못했소/돌아보면 세상은 넓고 넓어도/내 사는 내 나라 제일로 좋아/벗들이 부어준 한모금 물도/내 고향 샘처럼 달지 못했소/돌아보면 세상은 넓고 넓어도/내 사는 내 나라 제일로 좋아/노래도 아니라 곡조가 좋아/멀리서도 정답게 불러보았소/돌아보면 세상은 넓고 넓어도/내 사는 내 나라 제일로 좋아…"

에헤 뿌려라 씨를 활활 뿌려라

박니나의 아리랑

　2009년 11월 『친일親日 인명사전』이 세상에 나왔습니다. 18년에 걸친 작업 끝에 나온 결과물이었지만 그 사전의 발간 국민 보고대회는 애초 예정된 장소를 옮겨서 열어야 했습니다. 총 4권 3,000여 페이지에 4,370여 명 친일파들의 행적을 담은 이 책은 왜 그토록 강렬한 저항에 부닥쳐야 했을까. 친일행위를 한 사람들이 역사적인 청산의 대상이 되지 못하고, 그들이 오히려 현대사에서 부와 권력을 누리는 위치에 있어왔기 때문입니다. 조국은 분단되었고, 한반도 남쪽의 정권은 '민족 정통성'에 관한 한 당당할 수 없을 만큼 친일세력의 온상이 되고 말았기 때문입니다.

　정치와 법률을 통해 징계하고, 경제적으로 박탈하고, 나라를 배신한 이들의 말로를 알려주는 국민교육 과정을 거치고, 역사학적 단계를 거쳐 과거사를 청산한 유럽의 경우와 달리 대한민국은 첫 단추부터 제대로 꿰지를 못한 것입니다. 반민특위의 실패, 분단과 전쟁, 쿠데타로 집권한 군사정권, 이러한 역사적 과오는 민족정기를 되살릴 기회를 놓치게 한 계기가 됐습니다.

　현대로 넘어오면서 일본 대신 자본주의 초강대국 미국이 영향력 있는 실체로 다가오면서 과거사에 대한 관심은 더욱 시들해졌습니다. 물신物神이라고 불릴 만큼 우리의 의식세계를 깊게 지배하고 있는 물질적 가치, 자본주의

적 생활방식은 더더욱 역사적 사실에 대한 규명을 '남의 일'로 만들어버렸습니다. 홍세화 선생이 『생각의 좌표』에서 뱉는 말은 안타깝지만 실체적 현실입니다. "사람은 편함을 추구한다. 남에게 불편함은 물론 고통과 불행을 안겨주면서까지 나의 편함을 추구한다. 함께 더불어 산다는 말은 내 편함의 추구가 남에게 불편함, 고통, 불행을 주지 않아야 한다는 말과 만난다. 그러나 대부분의 사람들은 내 편함을 추구할 뿐 '어떤 사회에서 살 것인가?'라는 물음을 던지지 않는다. 그런 물음을 던지는 사람은 언제나 소수다." 이런 현실에서 이미 60년이 지나버린 과거 이야기를 끄집어내고, 그것을 널리 유포하는 것은 많은 사람들을 불편하게 하는 일임에 분명할 것입니다.

하지만 여전히 친일파 청산을 통한 민족정기 정립을 주장하는 임헌영 민족문제연구소장의 목소리에 마음이 쓰입니다. "국민이 힘을 합쳐 세 가지 정도만 해주면 친일 청산에 큰 몫을 합니다. 첫째, 독립운동의 가치를 재발견하는 것. 그중에서도 독립운동가의 대부분이 민주주의 지지자였다는 사실을 알아주십시오. 둘째, 주변의 친일파 후손들에 대한 가치를 재정립하고 친일 행적이 있는 사람들을 기리는 행사에 국민의 세금이 쓰이지 않도록 합시다. 셋째, 올바른 삶의 지표를 세웁시다." 이렇게 그다지 어렵지 않은 세 가지 과제지만 선진국으로 달려가는 분단국가 대한민국에서는 목소리가 약하기 그지없습니다.

이런 친일親日의 맞은편에 있는 개념이 독립운동입니다. 가끔씩 신문 부고란에서 확인하는 독립운동가들이나 그 후손들의 쓸쓸한 죽음. 이 땅에서 흩어져 살면서 초라한 노년을 보낸 독립운동가들 못지않게 쓸쓸한 말년을 보내는 사람들이 있습니다. 러시아 땅 연해주. 우리 역사가 '통일신라시대'라 기록하고 있는 그 옛날 '남북국 시대'의 북쪽 주역인 발해渤海 영토였던 곳. 한반도가 하나의 국가였던 1860년대, 한반도 북녘에서 건너간 수많은 한인들이 일궈낸 광활한 신천지가 바로 연해주 땅이었습니다. 특히 1900년대를 지나면서 일제

1. 어린 시절의 박니나 씨   2. 연해주 고려인들의 거주지 우수리스크시 우정마을
3. 중앙아시아에서 고려인들이 일하던 모습

가 한반도 침략을 노골화하자, 독립운동을 위해 두만강을 넘어 연해주에 정착한 사람들이 더 늘어났습니다. 1905년 을사조약 이후에 연해주는 의병(義兵) 기지로 변모하며 러시아내 한인 민족운동의 근거지가 됩니다.

이토 히로부미를 저격한 안중근 의사를 비롯한 독립투사들이 조국 광복을 꿈꾸며 1907년 망명길에 오른 곳이 연해주의 중심도시 블라디보스톡이었습니다. 1917년 연해주 우수리스크에서 48세로 작고할 때까지 일생을 바친 이상설 선생도 연해주의 독립운동가였습니다. 1910년 경술국치 이후 한인들의 연해주 이주는 더욱 많아졌습니다. 1918년 일본군이 연해주를 점령하고 국경을 보호한다는 명목으로 7만여 명의 대부대를 투입하자 연해주 고려인들은 빨치산 부대로 바뀝니다. 홍범도 장군으로 대표되는 무장유격대 활동이 본격화되는 계기였습니다. 이렇게, 역사적 사실을 돌이켜보면 광활한 대륙의 극동지역에 자리 잡은 연해주는 분명 러시아땅이지만 한민족의 숨결이 곳곳에 스며있는 우리네 땅이기도 합니다.

어려운 시기를 함께 보낸 사람들끼리 공유하는 감정은 뜨겁습니다. 특히, 이민족에게 짓밟힌 조국을 되찾는 성전(聖戰)에 몸을 바쳤던 사람들의 연대의식은 어떠했겠습니까? 그 세대들이 죽음을 무릅쓰고 전투를 벌이며 느꼈던 심정은 어떤 것이었을까요. 독립운동의 기지로, 새로운 생활터전으로 자리 잡았던 연해주 고려인들에게 1937년의 재앙이 닥쳤습니다. 구소련의 새로운 리더 스탈린은 "연해주 고려인들 가운데 일본인의 첩자가 있다"는 소문을 대청산의 기회로 삼았습니다. 18만여 명에 달하는 연해주의 고려인들이 모두 강제로 열차에 태워져 중앙아시아 땅으로 이주해야 했던 것입니다.

강제이주 당시 꼬맹이였던 1.5세대들, 그네들이 중앙아시아 땅에서 낳은 아들딸들은 또다른 운명에 처합니다. 1992년 구소련의 붕괴와 함께 다시 역(逆)강제이주 상황에 직면하게 된 것입니다. 러시아는 물론 중앙아시아 전체가 '소비에트 연맹(소련)' 체제였을 때는 부각되지 않았던 다민족 체제가 해체된 것입니다. 중앙아시아 국가들은 소련을 탈퇴하면서 자민족 국가를 표방했습니다. 우즈베키스탄, 카자흐스탄, 우크라이나 등 중앙아시아 국가들은 러시아어를 배격했고 러시아 체제를 부정했습니다. 러시아어와 서툰 한국말밖에 할 줄 몰랐던 고려인들은 졸지에 이방인이 됐습니다. 새로운 나라의 국민이 되려면 고려인이길 포기해야 했습니다. 미아迷兒가 된 그들이 갈 곳은 없었습니다. 다시 러시아 극동지역 연해주 땅으로 하나둘 돌아가기 시작했습니다. 화물열차에 짐승처럼 태워지지만 않았을 뿐, 사실상 역逆 강제이주였습니다.

그렇게 부모님의 고향 러시아 연해주로 돌아온 사람 가운데 한명이 박니나 씨1950~ 입니다. 연해주 우수리스크시 미하일로프카 우정마을은 1992년 구소련의 붕괴 이후 중앙아시아에 살던 고려인가레이스키들이 돌아와 정착한 한인촌韓人村입니다. 이 마을에서 슈퍼마켓을 하는 박니나씨는 카자흐스탄에서 이곳으로 돌아왔습니다. 부모님은 원래 러시아 연해주에 살다가 1937년 강제이주되어 중앙아시아땅 카자흐스탄에 정착했고, 박니나 씨는 거기서 태어나고 자랐습니다. 박씨의 조국은 카자흐스탄인 셈이지요. 칼을 쥔 사람들이 사람들을 견딜 수 없게 핍박하고 배제하면, 피선택권자가 취할 방법은 없습니다. 쫓겨나는 것뿐이지요. 부모 세대가 쫓겨난 땅으로의 유랑, 역사의 아이러니가 아닐 수 없습니다.

아버지가 노래를 잘 불렀습니다. 〈아리랑〉도 아버지에게 들었다고 합니다. 중앙아시아 허허벌판에서 잡초처럼 일어난 고려인들의 기상이 담긴 〈씨를 활활 뿌려라〉가 참 듣기 좋습니다. 한과 눈물이 담긴 노래지만 타고난 부지런함으로 수많은 근로 영웅을 배출한 고려인들답게 씩씩한 기상이 드러납니다. "이 넓은 농장에 씨를 뿌려/가을이 풍년이 돌아오면/누렇게 누렇게 변해서/우거 우거져 파도치리/(후렴) 에헤 뿌려라 씨를 활활 뿌려라/땅의 젖을 짜먹고 와싹와싹 자란다/콜호즈 농장아 왜 끊어/봄을 마중해 소리치

지/뜨락또르^{트랙터} 뜨르르 굴러라/파종 시절이 늦지 말게/에헤 **뿌려라 씨를
활활 뿌려라**/땅의 젖을 짜먹고 와싹와싹 자란다…."

　고려인 2세지만 박니나 씨는 밥과 김치를 먹습니다. 비교적 한국말도 잘
합니다. 박씨는 연해주에 정착한 뒤에 틈틈이 고려인 가무단과 함께 어울립
니다. 같이 노래부르고 춤추며 활동하는 모임이지요. 여기서 잊어버린 고려
의 노래를 배우고 있습니다. 까마득한 어린 시절 부모님이 흥얼거린 소리가
〈아리랑〉이었음도 알게 됐고 새 노래를 배우는 즐거움도 크다고 했습니다.
2세대의 경험과 노래는 1세대의 그것과 질감이 달라졌지만, 그녀는 분명한
우리것이라고 생각하며 살고 있습니다. "아리랑 아리랑 아라리요/아리랑
고개로 넘어간다/나를 버리고 가시는 임은 십리도 못 가서 발병난다/아리
랑 아리랑 아라리요/아리랑 고개로 넘어간다/청천 하늘에 잔별도 많고 우
리네 살림엔 말도 많다/아리랑 아리랑 아라리요/아리랑 고개로 넘어간다/
풍년이 온다네 풍년이 왔네/이 강산 삼천리 풍년이 와요…." 그녀의 〈아리
랑〉을 들으며 그녀의 아버지가 생전에 불렀을 〈아리랑〉은 얼마나 시큼하고
진한 맛이었을까 생각했습니다.

한민족의 소리를 만나다

초판1쇄 찍은 날 2011년 2월 21일
초판2쇄 펴낸 날 2011년 11월 10일

지은이 윤행석
펴낸이 송광룡
펴낸곳 심미안
주 소 503-821 광주광역시 동구 학동 81-29번지 2층
전 화 062-651-6968
팩 스 062-651-9690
메 일 simmian03@hanmail.net
등 록 2003년 3월 13일 제05-01-0268호

값 12,000원

ISBN 978-89-91329-046-1 03670

* 이 책은 관훈클럽신영연구기금의 도움을 받아 저술·출판 되었습니다.